全日制义务教育学生必读书系

钢铁是怎样炼成的

[苏联]尼古拉·奥斯特洛夫斯基 / 原著

柯原 丁丁 / 编译

杨宏富 / 绘画

浙江少年儿童出版社

图书在版编目(CIP)数据

钢铁是怎样炼成的/(苏)奥斯特洛夫斯基原著；柯原，丁丁编译；杨宏富绘．—杭州：浙江少年儿童出版社，2003.1（2003.8重印）
（全日制义务教育学生必读书系）
ISBN 7-5342-2711-9
Ⅰ.钢… Ⅱ.①奥… ②柯…③丁…④杨… Ⅲ.长篇小说-苏联-现代-青少年读物 Ⅳ.I512.45
中国版本图书馆CIP数据核字（2002）第072100号

责任编辑 丛 燕 **美术编辑** 吴 珩 **封面设计** 唐 筠

全日制义务教育学生必读书系

钢铁是怎样炼成的

［苏联］尼古拉·奥斯特洛夫斯基/原著

柯原 丁丁/编译

杨宏富/绘画

浙江少年儿童出版社出版发行

淳安新华印务有限公司印刷 全国各地新华书店经销

开本 850×1168 1/64 印张 5.25

字数 113000 印数 27421—32455

2003年1月第1版 2003年8月第4次印刷

ISBN 7-5342-2711-9/I·468

定价：8.00元

（如有印装质量问题，影响阅读，请与承印厂联系调换）

编 者 的 话

朋友,当你打开这本书,也许你还不知道它曾经激励过多少热血青年,帮助过多少人认识和理解生命的意义与价值。但是你一定熟悉这样的句子:人最宝贵的是生命。生命属于人只有一次。人的一生应该这样度过:当他回首往事,不会因为虚度年华而悔恨,也不会因为卑鄙庸俗而羞愧;临终时,他能够说:"我的整个生命和全部精力,都献给了世界上最壮丽的事业——为解放全人类而奋斗。"

这段震撼人心的名言多少年来被无数青年抄录下来,当做人生的座右铭,激励自己去创造生命的价值,去体验生活的最高意义。这段名言出自一个普通的工人、红军战士、共青团员之口,他就是《钢铁是怎样炼成的》的作者尼古拉·奥斯特洛夫斯基。

《钢铁是怎样炼成的》最早于一九三二年在苏联的《青年近卫军》杂志上连载,至今已有七十年了。仅在作者去世的一九三六年之前,本书就以各种文字重印和重版了五十次。此书的中译本最早出现在一九四二年,到目前为止,我国至少有二十多种不同形式的译本。对今天五十多岁的中年人来说,在他们读小学和中学的时候,或许根本不知道卡夫卡、米兰·昆德拉这类作家的作品,但他绝不会不知道尼古拉·奥斯特洛夫斯基和他的《钢铁是怎样炼成的》,而且深深地为书的内容以及主人公的顽强精神和崇高思想境界所感动。一九九九年国庆五十周年前夕,这本书被读者评为"感动共和国的五十本书"第一名。现在,青少年知道这本书的不多,读过的就更少了,甚至还有人以为它是一本专业的"炼钢"书。当然，这只是一个笑谈，不过，它确实是一本指导人如何"炼钢"——锻炼钢铁般的意志、培养远大抱负和树立崇高理想的入门书。

《钢铁是怎样炼成的》是作者以亲身经历为基本素材而写成的一部小说。小说中的主人公保尔·柯察金身上有着作者奥斯特洛夫斯基的影子，尤其在保尔身上表现出的那种顽强的革命精神和执著的革命信念，是当时无数进步青年为苏维埃共和国而斗争的生活的缩影。保尔成为广大苏联青年，而且也是我国青年心目中的英雄。

书中的保尔·柯察金出生在乌克兰的舍佩托夫卡城，那也是作者的家乡。保尔和母亲、哥哥生活在一起。他们和大多数人一样生活得很贫穷。保尔因报复凶狠的神甫的虐待，被学校开除了。为了生活，保尔只好去火车站的食堂做童工，在那里，他看到了社会中更多的丑恶和不平。一九一七年沙皇被推翻了,红军来到了保尔的家乡。在老布尔什维克朱赫来的教育和引导下,年轻的保尔逐渐成长起来。他痛恨一切残酷压榨和迫害人民的富人以及各种匪帮,冒着危险救出被捕的朱赫来,并被哥萨克匪兵毒打,关进了监狱……在苦难中成长起来的保尔参加了红军,成了一名优秀的侦察兵,后在著名的英雄布琼尼率领的骑兵第一集团军中英勇作战。他因负伤回到地方,担任共青团的工作。他忘我地投身到为巩固苏维埃政权的建设和斗争中。在严寒的西伯利亚修筑铁路时,保尔的旧伤复发,差点儿死去。出院后,保尔已不能正常工作,他很痛苦,身体每况愈下,以至双目失明。他始终顽强地与病魔斗争,拿起笔,艰难地写下了这部具有自传特征的小说。

朋友,认真地读一读这本经过改写的小说,你会获得意料不到的收获——精神上的洗礼和心灵的震撼!

目 录 MULU

上 篇

第一章　苦难少年

"节前上我家去补考的,都给我站起来!"

凶神恶煞(shà)似的瓦西里神甫,脖子上挂着沉甸(diān)甸的十字架,正站在讲台上,气势汹汹地瞪着全班的学生。孩子们惊恐不安地望着他。

胖神甫一阵呵斥后,最后用他那一对闪着凶光的小眼睛,盯住了一个男孩子。这男孩子长着一对黑眼睛,穿着灰衬衣和膝盖打补丁的蓝裤子。他就是保尔·柯(kē)察金。

"你怎么像个木头人,站着不动弹?把你的口袋翻过来!"

黑眼睛的男孩子压抑着心头的仇恨,看着神甫,闷声闷气地回答:"我没有口袋。"他用手摸了摸缝死了的袋口。

"哼,没有口袋!你以为我不知道是谁把发面糟蹋了吗?你以为你还能在学校待下去吗?上回是你妈求情,才让你留下来,这回不行了。你给我滚,滚出去!"神甫使劲揪住男孩子的一只耳朵,把他推出了教室。

教室里鸦雀无声,全班学生都吓得缩着脖子,谁也不明白保尔·柯察金究竟犯了什么错而被开除了,只有他的好朋友谢廖(liào)沙·勃鲁扎克知道为什么。复活节的前一天,六个不及格的学生去神甫家补考,谢廖沙看见保尔将一把烟末撒在了神甫家过节用的发面里。

保尔闷闷不乐地坐在校门口的台

阶上,神情懊丧透了,回家怎么向母亲说呢?母亲在税务官家里当厨娘,天天从早上忙到深夜,为他操透了心,现在自己却被开除了,保尔心里很难过。

保尔跟瓦西里神甫早就结下了仇。一次,他跟一个同学打架,神甫罚他不准回家吃饭,又怕他胡闹,就把保尔送到高年级教室,让他坐在后排。

高年级老师正在讲地球和天体的知识,他说地球已经存在好几百万年了。保尔听后,惊讶得差点儿合不上嘴。他想站起来说:"《圣经》上可不是这么说的。"

保尔的母亲玛丽亚·雅科夫列夫娜是个虔(qián)诚的基督徒,常给他讲《圣经》里的故事。比如,世界是上帝创造的,而且是不久前创造的,保尔对此深信不疑。

《圣经》这门课,神甫总是给保尔打满分。无论新约、旧约或是所有的祈祷

词,他都背得滚瓜烂熟。上帝哪一天创造了什么,他记得清清楚楚。保尔决定问问瓦西里神甫。等到上《圣经》课的时候,神甫刚坐下来,保尔就举起手,得到允许后,他站起来说:"神甫,为什么高年级老师说,地球已经存在好几百万年了,并不像《圣经》里说的是五千……"

话还没有说完,就被瓦西里神甫的尖叫声打断了:"混账东西,你胡说什么?我问你,《圣经》课你是怎么学的?"

保尔没来得及分辩,神甫就气势汹汹地冲了过来,揪住保尔的两只耳朵,把他的头使劲往墙上撞。一分钟之后,被撞得鼻青脸肿的保尔,被神甫恶狠狠地推到了走廊上。

满面伤痕的保尔回到家后,又挨了母亲一顿责骂。

第二天,母亲赶去恳求瓦西里神甫,让她儿子回班上学习。从那时起,保尔恨透了瓦西里神甫。他不容许任何人对他肆意地侮辱,更忘不了神甫那顿无端的毒打。他把仇恨深深地埋在心底,不露声色。

以后,保尔不断受到瓦西里神甫的侮辱:往往为一点儿鸡毛蒜皮的小事,神甫就把他赶出教室,而且一连几个星期天天罚他站墙角,也不管他的功课。在神甫家补考时,保尔将一把烟末撒在过复活节做糕点用的发面里了。

虽然当时谁也没有看到,可神甫却猜出了是谁干的。

下课后,孩子们围住了愁眉苦脸地坐在校门口的台阶上、一言不发的保尔。谢廖沙觉得很内疚(jiù),因为这是他的主意,但又想不出什么办法来帮助好朋友。

这时,传来校长那低沉的声音,吓得保尔一哆嗦(duō suō)。

"叫柯察金马上到我这儿来!"他喊道。

全日制义务教育学生必读书系·钢铁是怎样炼成的

保尔朝教员室走去,心怦怦地直跳。他知道他完了,再也回不了学校了。

第二天,母亲带着保尔去铁路车站食堂找工作。

车站食堂的老板已上了年纪,面色苍白,两眼无神。他瞥(piē)了一眼身材瘦小的保尔,问道:

"几岁了?"

"十二岁。"母亲回答说。

"让他留下吧。工钱每月八个卢布,当班的时候管饭。顶班干一天一宿,在家歇一天一宿,可不准偷东西。"

"我担保他什么也不偷。"母亲惶恐地说。

"那今天就上工吧。"老板对旁边一个女招待说,"济娜,把这个小伙计领到洗刷间去,叫弗罗霞给他派活,顶替格里什卡。"

这时,母亲小声嘱咐保尔:"保夫鲁沙(保尔的爱称),你可要好好干哪,别给我丢脸!"她用忧郁(yù)的目光把儿子送走以后,才朝大门口走去。

女招待济娜把保尔领到一个正在洗家什的女工跟前,说:"弗罗霞,这个新来的小伙计是派给你的,顶格里什卡。你给他讲讲都要干些什么活儿吧。"

济娜转身对保尔说:"她是这儿的领班,她叫你干什么,你就干什么。"

弗罗霞打量了他一番,然后用非常悦耳的声音说:"小朋友,你的活儿不难,就是一清早把这口锅水烧开,一天别断了开水。柴要你自己劈,这两个大茶炉的水也要烧开。活儿紧的时候,你也得擦擦刀叉,倒倒脏水。"

保尔就这样开始了他的劳作生涯。

第一天上工,他就很卖力地干活儿了。他知道,这里不比在家里,要是不听话,准得吃耳刮子。保尔先向炉膛鼓起了风,火快熄灭的大肚子茶炉下立即冒出了火花;然后,他又提起脏水

全日制义务教育学生必读书系·钢铁是怎样炼成的

桶，飞快地把脏水倒进屋外的沟里；他再给烧水锅的炉内添上劈柴，然后把湿毛巾搭在茶炉上烘干。他把叫他干的活儿都干了。

夜深了，保尔拖着疲惫不堪的身子，走到厨房，去帮助擦刀叉。有个上了年纪的女工望着他说："瞧，这孩子干起活儿来不要命。一定是家里实在没办法，才被打发来的。"

"是啊，挺好个小伙子，"弗罗霞说，"干起活儿来不用催。"

保尔忙了一个通宵，累得筋疲力尽。早晨七点钟，一个胖圆脸、小眼睛、流里流气的男孩子来接班，保尔把两个烧开的茶炉交给了他。

男孩子一看，保尔把什么都弄妥了，便摆出一副不可一世的架势，用轻蔑的眼光看了看保尔，然后以不容争辩的腔调说："喂，你这个饭桶，明天早上准六点来接班。"

保尔问:"不是七点换班吗?"

"你得六点来。要是再噜苏的话,我立马叫你脑瓜上长个大疙瘩。你这小子也不寻思寻思,才来就摆臭架子。"

一群交了班的女工都凑了过来。那个男孩子的无赖腔调和挑衅(xìn)态度激怒了保尔。他朝男孩子逼近一步,本来想狠狠地揍他一顿,但是又怕头一天上工就给开除,于是忍住了。他铁青着脸说:"你老实点,别吓唬人。明天我就七点来,要说打架,我可不在乎你,你想试试,那就请吧!"

那家伙吓得后退了一步,吃惊地瞧着怒气冲冲的保尔。他没想到会碰了这么大的钉子,有点儿不知所措。

下了班,保尔向家走去。他觉得自己用劳动挣得了休息,以后谁也不能再说他吃闲饭了。

早晨的太阳从锯木厂高大的厂房后面懒洋洋地升起来。保尔就要到家

11

了。他家的小房子就在当地律师列辛斯基庄园的后面。

到家时，母亲正在院子里忙着烧茶炊。一看见儿子回来，她就急忙问："怎么样？"

"挺好。"保尔回答。

这时，保尔从敞开的窗户里看到了阿尔焦姆哥哥宽大的后背。

身材魁梧的阿尔焦姆坐在桌子旁边，背朝着走进房门的保尔。他扭过头来，看着弟弟，黑浓的眉毛下面是两道严厉的目光。

"啊，撒烟末的英雄回来了？你可真行！"

保尔预感到情况不妙，他有点怕阿尔焦姆。

喝茶的时候，阿尔焦姆倒是心平气和地听保尔说完学校里发生的事情的经过。

阿尔焦姆对保尔说："好吧，弟弟。过

去的事算了，往后要小心，干活别耍花招，该干的都干好；你要是给撵(niǎn)出来，我就要你的好看。妈已经够操心的了，你别再惹事了。以后我想办法让你到机车库去当学徒，老是给人倒脏水，有什么出息?还得学一门手艺。这样妈就可以不用伺(cì)候人了，不用见到什么样的混蛋都弯腰了。保尔，你得争气，要好好做人。"

离开家前，他对保尔说:"我给你带了一双靴子和一把小刀，妈会拿给你的。"

车站食堂昼夜不停地营业着。有六条铁路通到这个枢纽(shū niǔ)站。这个车站上有几百列军车从各地开来，再开到各地去。从前线运来的是缺胳膊断腿的伤兵，送到前线去的是大批穿灰色大衣的新兵。

保尔在食堂里辛辛苦苦地干了两年，工钱也从八个卢布长到十个卢布。

全日制义务教育学生必读书系·钢铁是怎样炼成的

他长高了,身体也结实了。两年里,他经受了许多苦难。在厨房打下手时,那个有权势的厨子头儿不喜欢这个犟(jiàng)孩子,常常给他几个耳光。但他又怕保尔会突然捅他一刀,干脆把他撵回了洗刷间。要不是保尔干起活儿来有使不完的劲儿,那他早就被他们赶走了。保尔干的活儿比谁都多,而且从来也不知道疲劳。

当闲下来的时候,堂倌们就聚在储藏室里赌钱。保尔知道,他们每个人当一天一宿班,就能捞到三四十个卢布的外快,一次小费就是一个卢布、半个卢布的。他们有了钱就大喝、大赌。

这帮该死的混蛋!保尔心里想。像阿尔焦姆这样的头等钳(qián)工,一个月才挣四十八个卢布,我才挣十个卢布;可是他们一天一宿就捞这么多钱,凭什么?不就是把菜端上去,把空盘子撤下来吗。有了钱就喝尽赌光。

保尔非常憎恶他们，把他们与那些老板看成一路货，都是他的冤(yuān)家对头。这帮下流坯(pī)，别看他们在这儿低三下四地伺候人，可老婆孩子在城里却像有钱人一样摆阔气。

保尔还知道，这里的任何一个洗家什女工和女招待，要是不肯以几个卢布的代价，把自己的肉体出卖给食堂里每个有权有势的人，就得滚蛋。

保尔追求一切新事物，希望他的生活有一个新天地，可是他生活在霉烂的臭味和泥沼(zhǎo)的潮气之中。保尔期待着有朝一日能离开这个地方，哥哥工作的机车库那座大石头房子吸引着他。他经常到阿尔焦姆那里去，帮他干点活儿。

当一直对保尔很关爱的弗罗霞离开食堂以后，保尔就越来越烦闷了。

当那个爱笑的、快乐的姑娘不在这里时，保尔这才深深地感到他们之间的友谊是多么的深厚。没有弗罗霞，他感到空虚和孤独。

一天夜里，屋子里静悄悄的，只有炉子不时地发出的哔剥声和水龙头均匀的滴水声。

这时，厨房里已经没有别人了。每到这个时候，小伙伴克利姆卡总来跟保尔一起消磨时间。克利姆卡一来，就看见保尔的眼神里有一种无言的悲哀。他是第一次看到这种忧郁的神情。

克利姆卡沉默了一会儿，问道："出什么事了？"

"没什么，"他闷声闷气地回答，"我在这儿待着很不痛快。"他把放在膝上的两只手攥(zuàn)成了拳头。

"你今天怎么了？"克利姆卡接着问。

"你看，这儿是个什么地方！咱们像骆驼一样干活，可得到的报答呢，是谁高兴谁就赏你几个嘴巴子，连一个护着你的人都没有。老板雇(gù)咱们，是要

16

咱们给他干活儿,可是随便哪一个都有权揍你,你就是拼命干,也总有伺候不到的时候,那又是一顿耳刮子……"

克利姆卡赶紧打断他的话头:"别嚷嚷,让人听见了。"

"怕什么,反正我是要离开这儿的。这儿是什么地方……是地狱,这帮家伙除了骗子还是骗子。他们有的是钱,咱们在他们眼里不过是畜(chù)生。对姑娘们,他们想怎么干就怎么干。要是哪个长得漂亮又不肯服服帖帖,马上就会被赶出去。她们都是些难民,为了不挨饿,只好任人摆布。"

"今天咱们还读不读书啦?"克利姆卡问保尔。

"卖书的被宪兵抓走了。"保尔回答。

"为什么抓他?"

"听说是因为搞政治。"

"政治是什么呀?"

保尔耸了耸肩膀，说："鬼才知道！听说，谁要是反对沙皇，这就叫政治。"

保尔没有想到，没多久他就离开了食堂，而离开的原因出乎他的意料。

这是一月的一个严寒的日子，保尔干完自己的一班活儿准备回家，但是接班的人没有来。老板娘一定要他连班再干一天一宿。到了夜里，他已累得筋疲力尽了。当大家都休息的时候，他还得把几口锅灌满水，赶在凌晨三点钟的火车进站前烧开。

保尔拧开水龙头，可是没有水，他让水龙头开着，自己躺在柴堆上歇一会儿，不料，这一躺下马上就睡着了。

过了几分钟，水龙头咕嘟咕嘟地响了起来，不一会儿水槽里的水就漫出来，流到了洗刷间的地板上。洗刷间里一个人也没有。水越来越多，漫过地板，流进了餐室。

水悄悄地流到熟睡的旅客们的行

李下面，没有人发觉。直到一个躺在地板上的旅客被水浸醒，他猛地跳起来，大喊大叫，被惊醒的其他旅客连忙去抢自己的行李。餐室里顿时乱作一团。

水还在流个不停，越流越多。熟睡的保尔压根儿没想到大祸就要临头了。

正在另一个餐室收拾桌子的堂倌普罗霍尔听到外面的喊叫声，急忙跑过来。他冲到门旁，用力把门打开，原来被门挡住的水一下子冲进了餐室。这时喊叫声更大了。几个当班的堂倌一齐跑进洗刷间，只见普罗霍尔在恶狠狠地朝酣(hān)睡的保尔扑过去。

拳头像雨点一样落在保尔头上。刚被打醒的保尔，什么也没弄明白，就已眼睛里直冒金星，浑身火辣辣地疼。

他浑身是伤，好不容易一步一步地终于挪(nuó)到了家。

早晨，刚下班回家的阿尔焦姆阴沉着脸，紧锁着眉，叫保尔告诉他事情的经过。

保尔从头到尾讲了一遍。

"谁打你的?"阿尔焦姆强压着怒火问弟弟。

"普罗霍尔。"

"好,你躺着吧。"

阿尔焦姆穿上羊皮袄,什么也没有说,就出了家门。

"我找堂倌普罗霍尔,行吗?"一个陌生的工人站在车站食堂的门前问女工格拉莎。

"请等一下,他马上就来。"她回答道。

这个身材魁梧的人靠在门框上:"好,我等一下。"

这时,普罗霍尔端着一大摞(luò)盘子,一脚踢开门,走进了洗刷间。

"瞧!他就是普罗霍尔。"格拉莎指着他说。

阿尔焦姆向前迈了一步,一只如钢钳般的手使劲按住堂倌的肩膀,两道目光紧紧逼住他,问:"你凭什么打我弟弟保尔?"

普罗霍尔想挣开肩膀,可是已经迟了,阿尔焦姆狠狠一拳,把他打翻在地;他挣扎着,想爬起来,接着又是一拳,比第一拳更厉害,把他钉在地板上,再也起不来了。

阿尔焦姆转身走了出去。女工们吓得急忙躲到一边去。平时凶狠的普罗霍尔此时血流满面,在地上挣扎着。

可是,这天晚上,阿尔焦姆没有从机车库下班回家。他被关进了宪兵队。

六天后,阿尔焦姆才被放回来。那天晚上,保尔坐在床上,难以入睡。阿尔焦姆走上前,深情地问:"怎么样,好些了吗?将来还有比这更倒霉的事呢。"阿尔焦姆沉默了一会儿,又接着说:"没关系,我替你在发电厂找了份活儿。在那儿你可以学门手艺。"

保尔紧紧地握住了阿尔焦姆的大手。　21

第二章 风云突变

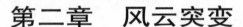

——个惊天动地的消息，旋风般地刮进了小城："沙皇被推翻了！"

一九一七年很快过去了。对保尔、克利姆卡和谢廖沙来说，一切都没有改变。主人还是原来的那些家伙。到了多雨的十一月，情况才有点儿变化。车站上来了许多从前线下来的士兵，而且都有一个奇怪的称号：布尔什维克。这个响亮的称号是从何处来的，没人知道。

冬末，城里进驻了一个骑兵团。每

天早上,骑兵们都要到车站去抓从前线开小差回来的逃兵。然而,要捉净从前线回来的逃兵谈何容易,车站上枪声不断,士兵们成群结队地从前线跑回来,到了十二月初,已经是成列车地拥来了,没有人能够阻挡住这股"逃兵潮"。

一九一八年春天的一天,三个好朋友在柯察金家小园子的草地上躺了下来。这时,公路上传来"得得得"的马蹄声。他们透过栅栏向远处望去。

只见从树林里,从林务官家的房后,转出来许多人和车辆,有十五六个人骑着马,枪横放在马鞍上,朝这边而来。居民们纷纷拥上街头,好奇地看着这支队伍。三个小伙伴也站在路旁,望着这些满身是土的、面带倦(juàn)色的红军战士。

红军游击队的指挥部就设在保尔的邻居、律师列辛斯基家里。晚上,大客厅里的桌子周围,有四个人在开会:一

23

个是队长布尔加科夫，另外三个是指挥部的成员。会议首先讨论的是在此打一仗，还是立刻撤退的事。

讨论中，大家意见不一。最后，队长布尔加科夫说："如果明知道要吃败仗，还硬要战士往前冲，这种仗我们不能打。现在，我们后面有敌人一个整师，而且配备有重炮和装甲车……"接着他宣布："就这么决定了，明天一早撤。"

"下一个是建立联系的问题。"布尔加科夫继续说，"这儿是铁路枢纽站，应当安排一个可靠的同志在车站上工作。"为了在这里留下一个可靠的同志组织敌后工作，队长提议让水兵朱赫来留下。

叶尔马琴科表示赞同，并说出他的理由："第一，朱赫来是本地人；第二，他会钳工，又会电工，能找到工作。另外，谁也没有看见他跟咱们的队伍在一起，他今天夜里才能赶到。这个人很有头脑,一定能把工作做好。我看,他最合适。"最后,大家决定把当地存放的两万枝步枪发给居民。

早晨,保尔从发电厂回家去。他当锅炉工助手已整整一年了。

今天城里非常热闹,不同往常。一路上,拿步枪的人越来越多,有的一枝,有的两枝,还有拿三枝的。保尔不明白那是怎么回事。在列辛斯基的庄园旁,他昨天见到的红军正在上马,准备出发。

保尔迅速回到家,匆忙洗了把脸,随即跑去找谢廖沙。他跑过两条街,看见一个小男孩儿吃力地拖着一枝带刺刀的步枪。保尔拦住他,问:"这枪是从哪儿搞来的?"

"游击队在学校对面发的,现在一枝也没有了,发了整整一夜,全都拿光了。我连这枝一共拿了两枝。"小男孩儿得意扬扬地说。

听到这个消息,保尔懊恼不已。突 25

然,他灵机一动,转身去追那个小男孩儿,一把夺过他手里的枪。

"你有了一枝,这枝该给我。"保尔不容争辩地说。

小男孩儿气得要命,朝他直扑过去。保尔向后退一步,端起刺刀,喊道:"走开,小心刺刀碰着你!"

小男孩儿哭了起来,但又没有办法,只好一边骂,一边跑开了。保尔心满意足地朝家里跑去。他把弄来的枪藏在后院棚顶的梁上,然后开心地吹着口哨,走进屋里。

夏天的夜晚,舍佩托夫卡的郊外,年轻男女聚在一起,一片欢声笑语。保尔熟练地拉着手风琴。保尔挺喜欢他的手风琴。他总是爱惜地把这架维也纳造的、音色优美的双键手风琴放在膝上。灵活的手指刚刚触到键盘,便飞快地从上面滑到下面。低音键长长地吐了一口气,接着便奏出大胆的跳跃式的旋律。 27

夜渐渐地深了，阿尔焦姆在呼唤弟弟保尔。原来朱赫来悄悄来到阿尔焦姆家，想通过保尔在发电厂找份工作。

保尔说："因为电工斯坦科维奇生病，今天机器都停了。老板跑来两趟，要找个替工，就是没找到。"

保尔看到朱赫来那双安详的灰眼睛正在观察他。那凝视的目光使保尔有点不好意思。朱赫来长得很结实，就像一棵粗壮的老柞(zuò)树，浑身充满力量。

他临走的时候，阿尔焦姆对他说："再见，朱赫来。明天你跟我弟弟一块去，事情会办妥的。"

游击队撤走三天之后，德国人进了城。消息马上传遍全城："德国人来了。"

所有的居民贴着栅栏和院门向外张望，但都不敢到街上去。

德国兵穿着墨绿色的制服，平端着枪，枪上上着宽刺刀，头上戴着沉重的钢盔(kuī)，身上背着大行军袋。他们把队伍拉得很长，从车站到市区，源源不断。德国兵小心翼(yì)翼地走着，随时准备应付抵抗。

在市中心的广场上，德国人列成方阵，打起鼓来。只有少数市民壮着胆聚拢过去。一个穿乌克兰短上衣的伪军小头目走上了一家药房的台阶，大声宣读城防司令科尔夫少校的命令。

命令如下：

第一条，本市全体居民，限于二十四小时内，将所有火器及其他各种武器缴出，违者枪决。

第二条，本市宣布戒严，自晚八时起禁止通行。

中午十二点多钟，规定缴枪的期限到了。德国兵点收到步枪一万四千枝，还有六千枝没有交。他们挨家挨户进行了搜查，但是搜到的却很少。

第二天清晨，德军枪毙了两个铁路

工人，因为在他们家里搜出了步枪。

阿尔焦姆急忙赶回家。他郑重其事地小声问保尔："你从外面往家拿什么东西没有？"

保尔本来想瞒住步枪的事，但又不愿意对哥哥撒谎，于是就照实说了。他们从藏匿(nì)处取出枪，把它砸碎，把刺刀和枪栓扔进了茅坑。

事后，阿尔焦姆严肃地对弟弟说："保尔，你已经不是小孩子了，武器可不是闹着玩的。以后什么也不许往家拿。出了这种事会送命的。记住，不许瞒我，要是你把这种东西带回来，被他们发现了，头一个抓去枪毙的就是我。"保尔答应以后再也不往家拿这类东西了。

转眼间，朱赫来在发电厂工作已经一个月了，保尔和他成了亲密的朋友。朱赫来常给他讲发电机的构造等知识，教他电工技术。

朱赫来很喜欢机灵的保尔。空闲

全日制义务教育学生必读书系·钢铁是怎样炼成的

时,他时常来看望阿尔焦姆,总是耐心地倾听他们讲述生活中的各种事情。尤其是母亲埋怨保尔淘气的时候,朱赫来总会想出办法来安慰玛丽亚·雅科夫列夫娜,劝得她心里舒舒坦坦的,忘掉了种种烦恼。

一天,保尔来到发电厂的院子里,朱赫来叫住了他,笑着对他说:"你母亲说你爱打架。打架并不算坏事,不过得知道打谁,为什么打。"

保尔不知道朱赫来是否取笑他,便解释说:"我从不平白无故地打架,总是有理才动手的。"

没想到朱赫来竟对他说:"打架要有真本领,来,我教你,好不好?"

他开始传授英国式拳击的打法,给保尔上了第一课。为了掌握这套本领,保尔吃了不少苦头,在朱赫来的拳头打击下,他不知摔了多少个跟头。但是这个徒弟很勤奋,保尔终于学有所成。

全日制义务教育学生必读书系·钢铁是怎样炼成的

有一天，天气很热，保尔到房后园子角落里的小棚顶上去，那是他最喜爱的地方。他拨开棚顶上面茂盛的樱桃树枝，躺在暖洋洋的阳光下。

这棚子的一面对着邻居列辛斯基家的花园，保尔看到了院落的一角和一辆停在那里的四轮马车。这时，住在列辛斯基家的德国中尉的勤务兵正在刷长官的衣物，而中尉挎着列辛斯基女儿涅(niè)莉的胳膊，正走向栅栏门，上街去了。

无意间，保尔朝敞开的窗口望去，房中无人，桌子上放着一副皮带，还有一件发亮的东西。保尔按捺不住好奇心，便悄悄顺着树身溜到列辛斯基家的花园里。他猫着身，几个箭步就到了窗前。天哪！桌子上放着一枝装在皮套里的很漂亮的十二发曼利赫尔手枪。

一刹那，保尔气喘不上来了。他思想斗争很激烈，但最后还是被一种力量所驱使。他不顾一切,抓住枪套,拔出那枝乌亮的新手枪,迅速跳回了花园。他环顾了一下四周,花园里静悄悄的,一切都没有发生……他急忙跑回家去。母亲在厨房里忙着做饭,没有注意到他。

保尔抓起家中的一块破布,就悄悄地溜出房门,上了通向森林的大路,拼命地向废弃的老砖厂跑去。保尔用破布把手枪包好,放到窑底的一个角落里,压上一大堆碎砖。他还做了个记号,随后慢腾腾地往发电厂走去。

大约在夜里十一点钟的时候,朱赫来到厂里来找保尔,压低了嗓音问他:"今天为什么有人去搜查你家?"

保尔吓了一跳。朱赫来沉默了一会儿,又问:"你不知道他们搜什么吗?"

保尔当然清楚他们要搜什么,但是他不敢把偷枪的事告诉朱赫来。他提心吊胆地问:"阿尔焦姆给抓去了吗?"

"谁也没抓去,可家里给翻了个底

朝天。"

保尔听了这话,心里踏实了些,但仍感到不安。不知搜查真相的朱赫来担心是否自己的身份暴露了。

这时,列辛斯基家可是闹翻了天。

德国中尉发现手枪不见了,就把勤务兵喊来查问,并随手给了勤务兵一个重重的耳光。勤务兵冷不丁地挨了这一下,身子不由自主地晃了晃,又直挺挺地站住了。随后被叫来查问的律师也很生气,他为家里发生了这种事,一再地向中尉道歉。

维克托对父亲说,可能是邻居偷去了,尤其是那个保尔·柯察金嫌疑最大。于是,中尉马上下令进行搜查。

搜查当然没有任何结果。这次偷枪使保尔更加相信,即使像这样冒险的举动,也可能安然无事。

第三章　爱情萌芽

冬妮亚站在窗户前,闷闷不乐地望着熟悉而亲切的花园,望着四周那些在微风中轻轻摇曳(yè)的白杨。她简直不敢相信,离开家园已经整整一年了。她仿佛昨天才离开这个童年时代就熟悉的地方。她的父亲是当地的林务官,她随父亲刚返回离开了一年的家。

一切都没有变样:一排排修剪整齐的灌木丛,按几何图形布局的小径,两旁种着妈妈喜爱的蝴蝶花。园里的一切还是那样干净整洁,但此时,这一切都让冬妮亚感到乏味。

冬妮亚拿了一本小说，走出花园。她推开小栅栏门，慢慢地朝车站水塔边的池塘走去。

过了一座小桥，她走上了大路。这条路很像公园里的林阴道。右边是池塘，周围是垂柳和茂密的柳丛。左边是一片树林。

她正想往池塘附近的旧采石场走去，忽然看见下方池塘岸边扬起一根钓竿，于是就停住了脚。

她用手拨开柳枝，看到钓鱼的是一个晒得黝(yōu)黑的男孩子。他光着脚，裤腿卷到大腿上，身旁放着盛蚯蚓的铁罐子。那少年正聚精会神地钓鱼，竟然没有发觉有人在注视他。

"这儿能钓着鱼吗？"

保尔生气地回头看了一眼。

原来一个陌生的姑娘站在那里，手扶着栏杆，身子倾向水面。她穿着领子

上有蓝条的白色水兵服和浅灰色短裙。一双带花边的短袜紧紧地裹住晒黑了的匀称的小腿，脚上穿着棕色的便鞋。栗色的头发梳成一条粗大的辫子。

这时，保尔拿钓竿的手轻轻颤动了一下，鹅毛鱼漂动了一下，平静的水面上顿时荡起一圈圈波纹。

背后的冬妮亚喊了起来："瞧，咬钩了……"

保尔一慌，连忙拉起钓竿。只见钩上的蚯蚓还打着转转，根本没有鱼上钩。保尔把钓钩甩到更远的水里。

保尔头也不回，低声埋怨起来："你瞎嚷什么，把鱼都吓跑了。"他站起身来，把帽子扯到前额上——这向来是他生气的表示。

冬妮亚眯起眼睛，微微一笑，说："难道我妨碍您了吗？"

她用一种友好与和解的口吻说。保尔本来想对这位不知从哪里冒出来的小姐发脾气,现在却不好意思了。

"没什么,您要是愿意看,就看好了。"说完,他重新看他的鱼漂。鱼漂紧贴着水草不动,看来是钩在草上了。保尔不敢起钓,怕女孩儿笑话他。虽然心里嘀咕,只好坐在那里不动,等待冬妮亚离去。

冬妮亚却舒舒服服地坐在一棵微微摇摆的弯柳树上,看着这个晒得黝黑的、黑眼睛的孩子,他先是那样不客气地对待她,现在又故意不理她,真是个粗野的家伙。

保尔在明镜般的水面上看着姑娘的倒影。这时,她正坐着看书,于是他想悄悄地拉起被草挂住的钓丝,可是没成功。

挂住了,该死的!他心里想着,一斜眼,却看到水中有一张顽皮的笑脸。

这时,远处有两个年轻人朝池塘走来。一个是机车库主任苏哈里科工程师

39

的儿子,他愚蠢而又爱惹是生非。因为他一脸雀斑,同学们叫他"麻子舒拉"。

只见"麻子舒拉"拿着一副上好的钓竿,神气活现地叼着香烟。和他一道来的维克托,是个娇气十足的青年。

苏哈里科向维克托挤挤眼,说:"这个姑娘像葡萄干一样香甜,别有风味,本地找不出第二个。我担保她是个浪漫女郎。她在基辅读六年级,这次是来消夏的。她父亲是这儿的林务官。她跟我妹妹莉莎很熟。我给她写过一封情书,满篇都是动人的词句。我说我发狂地爱着她,战栗地期待着她的回信。我甚至选了诗人纳德森的一首诗,抄在上面。"

"结果怎么样?"维克托兴致勃勃地问。

苏哈里科有点狼狈,说:"你知道,还不是装腔作势,摆臭架子……说什么别糟蹋信纸了。我才不愿意没完没了地跟在女人屁股后面献殷勤呢……"

维克托打断他的话，问："那么，你能把她介绍给我吗？"

"当然可以，趁她还没走，咱们快点去。"

说着，他俩已经来到了冬妮亚面前。苏哈里科取出嘴里的烟，挺有派头地鞠了一躬。

"您好，图曼诺娃小姐。您在钓鱼吗？"

"不，我在看别人钓鱼。"冬妮亚回答。

苏哈里科急忙拉着维克托的手，说："这位是我的朋友维克托·列辛斯基。"维克托不自然地把手伸给冬妮亚。

"今天您怎么没钓鱼呢？"苏哈里科想引起话题来。

"我没带钓竿。"冬妮亚回答。

"您先用我的吧，我再去拿。"苏哈里科连忙说。他在履(lǚ)行对维克托的承诺：当他和冬妮亚认识后，就走开。

"不，这样会打搅别人的，这儿已经有人在钓鱼了。"冬妮亚说。

"打搅谁？"苏哈里科打量着四周问。这时他看见了柳丛前面的保尔。"那好办，我马上叫那小子滚蛋！"

冬妮亚想劝阻他，可他已经走到正在钓鱼的保尔跟前了。

"赶紧给我滚蛋！"苏哈里科对保尔喊。他看见保尔还坐着不动，又喊："听见没有，快点儿！"

保尔抬起头，轻蔑地扫了苏哈里科一眼："你龇(zī)牙咧(liě)嘴地嚷什么？"

"什——什——么？"苏哈里科火冒三丈。"你这穷光蛋，竟敢回嘴。给我滚开！"说着，他用力向盛蚯蚓的铁罐子踢了一脚。罐子在空中翻了几翻，扑通一声掉进水里，激起的水花溅(jiàn)到冬妮亚的脸上。

"苏哈里科，您真不害臊(sào)！"她喊了起来。

保尔跳了起来。但保尔知道阿尔焦姆就在苏哈里科的父亲手下干活儿,要是现在揍他一顿,那就会牵连到阿尔焦姆。于是,保尔竭力克制着自己,没有立刻还击。

苏哈里科却以为保尔要动手,便一下扑了过去,用双手去推站在水边的保尔。只见保尔两手一扬,虽然身子微微一晃,却没有跌下水去。

苏哈里科大保尔两岁,说到打架斗殴,惹是生非,他在当地数第一。

保尔胸口平白无故地挨了一下,实在忍无可忍了。

"啊,你真动手?来吧,瞧我的!"说着,保尔把手稍稍一扬,照苏哈里科的脸狠狠打了一拳。紧接着,没容他还手,一把抓住他的上衣,使劲一拉,把他拖到了水里。

苏哈里科一下到了没膝深的水中,锃(zèng)亮的皮鞋和裤子全都湿了,一副狼狈样。狂怒的苏哈里科向保尔猛扑过来，恨不得一下子把他撕成碎片。面对扑过来的苏哈里科，保尔想起了朱赫来教他的拳击要领：左腿支住全身，右腿运劲、微屈，不单用手臂，还要用全身力气，从下往上，打对手的下巴。于是，他按照要领狠劲打了一下……

只听得两排牙齿喀哒一声撞在一起，苏哈里科感到下巴一阵剧痛，舌头也咬破了。他尖叫一声，双手在空中乱舞了几下，身子向后一仰，扑通一声，像个麻袋一般倒在水里。

冬妮亚实在忍不住了，哈哈大笑起来。她拍着手喊："打得好，打得好！"

保尔头也不回地走了。在离开时，他听到维克托对冬妮亚说："这家伙是个头号流氓，叫保尔·柯察金。"

车站上变得不安宁了。有消息说，铁路沿线的铁路工人开始罢工。在邻近的火车站，机车库工人也闹起来了。德国人抓走两名司机，怀疑他们传送罢工宣言。德军在乡下横征暴敛(liǎn)，逃亡的地主又重返庄园，这些情况使那些同农村有联系的工人非常愤怒。

乌克兰伪乡警也在拼命欺压和敲诈着庄稼汉。省里的游击运动正在开展起来。有十来个游击队在活动，有的是布尔什维克组织的，有的是乌克兰社会革命党人组织的。

近来，朱赫来忙得不可开交。他留在城里以后，做了大量的工作。他结识了许多铁路工人，并时常参加青年人的晚间集会，在机车库钳工和锯木厂工人中建立了一个强有力的组织。他也试探过阿尔焦姆，问他对布尔什维克党和党的事业有什么看法，这个身强力壮的钳工回答说："我对党派的事弄不太清楚，但是，什么时候需要我帮忙，我一定尽力，你可以相信我。"

全日制义务教育学生必读书系·钢铁是怎样炼成的

朱赫来对他的回答很满意。他知道阿尔焦姆的个性，说到就能做到。至于发展他入党，目前条件还不成熟。"没关系，这一课很快就会补上的。"朱赫来这样想。

朱赫来已经由发电厂转到机车库干活儿了，这对他的工作很有利，因为在发电厂，难以接触到铁路上的情况。

这一阵铁路运输格外繁忙。德国人正用成千上万节车皮，把他们从乌克兰掠夺到的黑麦、小麦、牲畜等运送到德国去。

一天，乌克兰伪警备队突然在车站进行搜捕，抓走了几个工人。全体铁路工人在朱赫来的组织下举行罢工，于是车站陷于瘫痪，一列火车也开不过去。

一个伪警备队的军官带着一伙队员急忙赶到机车库。他挥舞着手枪，拼命叫喊："马上干活儿去！要不，就把你们统统抓起来，再毙掉几个。"

工人们愤怒的吼声吓得他溜进了站房。

德军驻站长官从城里调来德国兵。他们乘着几辆卡车，沿公路飞驰而来。工人们这才四散回家。所有的人都罢工了，连值班站长也走了。朱赫来的工作产生了效果。这是车站上的第一次群众示威。

当天夜里，德军开始大搜捕，抓走了不少铁路工人，尤其是机车工。阿尔焦姆也被抓走了。朱赫来因为没有在家过夜，德军没有抓到他。

被抓来的人都关在大货仓里。德国人提出最后通牒(dié)：立即复工，否则就交野战军事法庭审判。

不久，几乎全线的铁路工人都罢工了。离这里一百二十公里的地方还发生了战斗。一支强大的游击队切断了铁路线，还炸毁了几座桥梁。

这天夜里，一列德国军车开进了车

47

站。德军怎么也没料到，火车一进站，司机、副司机和司炉就都跑得无影无踪了。除了这列军车外，站上还有两列火车急等着开出去。

于是，驻站长官德军中尉带着他的助手伪军官和一群德国人走进了货仓，驻站长官的助手对着阿尔焦姆、波利托夫斯基、勃鲁扎克三人说道："你们三个一组，马上去开车。要是违抗——就地枪决！"

见此情景，三个工人只好强压怒火点了点头。接着，他们被押上了机车。长官的助手又点了一组司机、副司机和司炉的名字，让他们去开另一列火车。

火车头愤怒地喷吐着发亮的火星，沉重地喘着气，冲破黑暗，沿着铁轨驶向苍茫的远方。

火车行驶了一段时间，阿尔焦姆、波利托夫斯基和勃鲁扎克三人商量着，他们决定干掉煤水车上的德国兵，绝不给德国人开车。

此时，那个德国兵两腿夹着枪，坐在煤水车的边上抽烟，偶尔朝机车上忙碌着的三个工人看一眼。

阿尔焦姆到煤水车上去扒煤。随后，波利托夫斯基装作要把大煤块扒过来，打着手势让德国兵挪动一下位置。就在他转身时，突然，响起了铁棍击物的短促而沉闷的声音，德国兵的头盖骨被敲碎了，他沉重地倒在机车和煤水车中间的过道上。

十分钟之后，这列没人驾驶的机车在慢慢地减速。铁路两旁，黑糊糊的树木闪进机车的灯光里，又消失在黑暗中。机车好像耗尽了最后的力气，变得越来越虚弱了。就在这时，有三个人影从机车两侧的踏板上跳了下来，随即消失在一眼望不到边的森林里。

几天来，勃鲁扎克一家愁容满面。谢廖沙的母亲安东尼娜·瓦西里耶夫娜一直坐立不安。她只知道德国人把她的丈夫和阿尔焦姆·波利托夫斯基抓去开火车了。而昨天,伪警备队的人来了,粗暴地审问了她一阵。她猜想一定是出了什么事。警备队一走,她就去找保尔的母亲玛丽亚·雅科夫列夫娜,希望能打听到丈夫的消息。

在保尔家她得知,昨天夜里,伪警备队也到柯察金家搜捕阿尔焦姆,还命令玛丽亚·雅科夫列夫娜一有她儿子的消息,就立刻向警备队报告。

清晨,保尔下班回到家。听说警备队搜捕阿尔焦姆,他很为哥哥担心。尽管他们的性格不一样,阿尔焦姆似乎总是很严厉,但兄弟俩却十分友爱。保尔心里明白,只要哥哥需要他,他会毫不犹豫地做出牺牲。

保尔去车站机车库找朱赫来,然而没有找到;他也没有打听到哥哥和另外两个人的消息。保尔只好回家。他疲倦

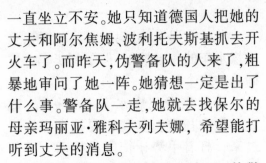

地倒在床上，进入了不安的梦乡。

曾和保尔一起在车站食堂打工的克利姆卡带来了朱赫来的纸条，说他们三个人在偏僻的乡下，住在勃鲁扎克的叔叔那里，万无一失，只不过他们暂时不能回家。还说德国人的日子不长了，形势很快就有变化。

这以后，三家的关系更亲密了。他们总是怀着极其喜悦的心情去读那些偶尔捎回来的珍贵家信。

一天，朱赫来路过波利托夫斯基家，交给他妻子一些钱。这些钱是从布尔加科夫留下的经费里拨出来的。

罢工虽然失败了，工人们在死刑的威胁下不得不复工，可是烈火一旦烧起来，就再也扑不灭了。这三个人都是好样的，称得上无产阶级。朱赫来离开波利托夫斯基家时，兴奋地这样想着。

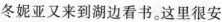

冬妮亚又来到湖边看书。这里很安

静。她躺在花岗石岸边一块深深凹下去的草地上。草地的背后是一片松林,悬崖下是湖水。环湖的峭壁,把阴影投在水面上,使湖边的水格外发暗。

冬妮亚最喜欢这个地方。这里过去是采石场,泉水从深坑里涌出来,形成三个活水湖。冬妮亚突然听到湖里有击水声。她用手拨开树枝往下看,只见一个晒得黝黑的人在奋力游水,身子一屈一伸地朝湖心游去。冬妮亚可以看到他那黑里透红的后背和一头黑发。他挥臂分水前进,有时上下左右翻滚,有时潜入水底。后来,他游累了,就仰卧在水面上。

冬妮亚仍然专心地读着维克托借给她的书,竟然没注意到有人在附近走动。当那人无意中踩落的石子掉到她书上时,她才吃了一惊,抬头一看,是保尔·柯察金。这不期而遇使保尔感到惊奇,他想走开。

原来是他在游泳。冬妮亚见保尔的头发还湿着，这么猜想着。

"吓了您一跳吧？我不知道您在这儿。"保尔伸手攀住岩石，他认出了冬妮亚。冬妮亚莞(wǎn)尔一笑。"坐到这儿来吧。"冬妮亚指着一块石头说，"请您告诉我，您叫什么名字？"

"保夫卡·柯察金。"

"我叫冬妮亚·图曼诺娃。"

保尔不好意思地揉(róu)着手里的帽子，在漂亮的冬妮亚面前，他有点儿窘(jiǒng)迫。

"您叫保夫卡(保尔的俗称)吗？"冬妮亚打破了沉默，"这不好听，还是叫保尔好。我以后就叫您保尔。您常到这儿来吗？"

"不，不常来，有空的时候才来。"保尔回答道。

"那么您在什么地方工作呢？"冬妮亚追问。

"在发电厂烧锅炉。"

保尔就这样不知不觉地与姑娘交谈了起来。

"您怎么不念书呢?"冬妮亚又问。

"我在神甫家的发面上撒了点儿烟末。他把我赶了出来。"保尔把辍(chuò)学的经过告诉冬妮亚。

冬妮亚好奇地听着,保尔的一切都让她感到很新鲜。此时,保尔一点也不拘束了,他像对老朋友一样侃(kǎn)侃而谈,甚至把哥哥逃亡的事也告诉了冬妮亚。他俩谁也没有发觉,他们已经交谈了好几个小时。也不知过了多久,保尔突然想起他该上班了。

"只顾说话,要误事了。我得去生火烧锅炉。"他不安地说,"小姐,再见吧。我得跑回城里去了。"

冬妮亚也站起来说:"咱们比一比,看谁跑得快。"

保尔有点瞧不起地看了她一眼。

"现在开始跑。一、二、三,您追吧!"说完,冬妮亚就飞快向前冲去,她那蓝色的外衣立即随风飘舞起来。保尔在后面紧紧地追赶着。他想:只要两步就能赶上。可是一直跑到离车站不远的地方,他才追上冬妮亚。他猛冲过去,双手紧紧抓住冬妮亚的肩膀。

"捉住小鸟了!"他快活地喊着,累得差点喘不过气来。

两个人都气喘吁吁地停下,心怦怦直跳。这时,冬妮亚也累得一点劲儿都没有了。她好像无意地稍稍倚在保尔身上,保尔感到她是那么亲近。虽然仅仅是一瞬(shùn)间,却深深地留在保尔的记忆里了。

"以前还没有人能追上过我。"她说着,轻轻分开了保尔的手。

保尔挥动帽子向冬妮亚告别,快步向城里跑去。

晚上,在锅炉房里,保尔还沉浸在

同冬妮亚相遇的回忆里，似乎听不到发动机的响声……

冬妮亚与保尔分手之后，也回忆着和保尔在一起的情景，她没有意识到，这次相遇竟使她非常高兴。

他多么热情，多么倔强(jué jiàng)啊！他不像我想的那样粗野。他完全不像那些流口水的中学生……在她眼里，保尔来自另一个社会，一个她从未接触过的社会。"可以叫他听话的。"她自言自语地说，"这种友谊挺有意思。"

到家时，冬妮亚看见莉莎、涅莉和维克托坐在花园里。维克托在看书。他们都在等她。

维克托悄声问冬妮亚："那本小说看完了吗？"冬妮亚忽然想起来了，她把书忘在湖边了。

"您喜欢它吗？"维克托注视着冬妮亚。

冬妮亚想了想，瞥了维克托一眼，

说:"不喜欢。我已经爱上了另外一本,比您那本有意思得多。"

维克托自觉无趣,他问道:"作者是谁呢?"

冬妮亚的眼里闪着光芒,嘲弄地看了看维克托,说:"没有作者……"

说完,冬妮亚挽起两个女友的手臂,自顾自地走进屋里。维克托苦苦思索着冬妮亚刚才说的一番话,琢磨不透那是什么意思。

就这样,一种从来没有过的模模糊糊的感情悄悄地钻进了保尔的生活。感情是那样新鲜,又那样不可思议地激动人心,竟使这个具有反抗性格的少年心神不宁了。

冬妮亚是林务官的女儿。保尔认为,林务官和律师列辛斯基是一类人。

保尔是在贫困和饥饿中长大的,他对富人怀有天生的敌意。他对自己现在产生的这种感情,还保留着一点戒备和疑虑。他觉得冬妮亚与自己不是同一类人，对她并不那么信任。只要这个漂亮的、受过教育的姑娘敢嘲笑或轻视他这个锅炉工，他会立即给予坚决的反击。

一个星期过去了，保尔没有看到冬妮亚。今天，他故意从她家经过，希望能看见她。在栅栏尽头，他看见了熟悉的水手服。他拾起一颗松球，朝她扔过去。冬妮亚一看是保尔，连忙跑过来，快活地笑着，并把手伸给他。

"您终于来了。"她高兴地说，"这么长的时间，您跑到哪儿去了？我又到湖边去过，以为您一定会来的。请进，到花园里来吧。"

保尔摇摇头，说："我不进去，您父亲说不定要发脾气的。您也会因我而挨骂的。"

"您别胡说，保尔。"冬妮亚几乎要生气了，"快点儿进来吧。我爸爸绝不会说什么的，等一下您就知道了。"

她跑去开了园门，保尔犹豫不决地跟在她后面走了进去，然后一直跟着她进了房间。冬妮亚的家干净、整齐、华丽，差点儿让保尔不敢踏进去。

"您喜欢看书吗？"他们坐下来后，冬妮亚问他。

"非常喜欢。"保尔立刻高兴起来。

"在您读过的书里，您最喜欢哪一本？"

保尔想了想，说："《朱泽倍·加里波第》。那才是个英雄呢！我真佩服他。他同敌人打过许多仗，每回都打胜仗。唉！要是他还活着，我一定去投奔他。他总是为穷人奋斗。"

"您想看看我们的图书室吗？"冬妮亚问他，说着就拉起他的手，把他带到了书房。保尔看到书橱里排放着几百本书。他从未看到过这么丰富的藏书，他简直惊讶极了。

"马上挑一本您喜欢的书。您得答

应以后常到我家来拿书,好吗?"

保尔高兴地点了点头,说:"我就是爱看书。"

他们愉快地度过了几个小时。冬妮亚还把保尔介绍给自己的母亲,保尔觉得冬妮亚的母亲也挺好,又客气,又友善。

冬妮亚领保尔到她自己的房间里,把她的书和课本拿给他看。随后她把保尔拉到镜子跟前,笑着说:"您的头发像野人一样,从来不梳理吧?"

保尔有点不好意思。冬妮亚笑着拿起梳子,很快就把他那乱蓬蓬的头发梳顺溜了。

"这才像个样子。"冬妮亚用挑剔(tī)的目光看了看保尔那件退了色的衬衫和破裤子,但没有说什么。

可保尔觉察到了冬妮亚的目光,他感到不自在。临别时,冬妮亚再三请保尔常到她家来玩,并约好过两天一起去钓鱼。

由于阿尔焦姆不在家,家里的生活越来越困难了,保尔的工钱不够开销,于是,他又去锯木厂找了一份工作。从此,保尔白天在锯木厂做工,晚上再到发电厂去干活儿。十天后,保尔领回了工钱。当他把钱交给母亲时,踌躇(chóu chú)了一下,有点不好意思地说:"妈,给我买件布衬衫吧,用一半工钱就够了。我身上这件太旧了。往后我再去挣钱,你别担心。"

"是啊,保夫鲁沙,是该买了,你一件新衬衫都没有。我今天去买布,明天就做。"她疼爱地瞧着儿子说。

保尔在理发馆门口站住了。他摸了摸衣袋里的一个卢布,走了进去。一刻钟以后,保尔走出理发馆,他那一头蓬乱的头发让理发师花了不少工夫,这下头发变得服服帖帖了。

保尔没有如约去钓鱼,冬妮亚很不

高兴。这天,她正要出去散步,母亲告诉她:"冬妮亚,有客人找你。"

门口站着保尔,冬妮亚差点儿认不出是他。

他穿着一身新衣服,蓝衬衫,黑裤子,皮靴也擦得亮亮的。冬妮亚第一眼就看出,他理了发。总之,那个黑黝黝的小火夫今天完全变了样。

冬妮亚本想说句表示惊讶的话,但看到他有些发窘,就装着没在意他的打扮,只是带点儿责备地说:"您怎么不来找我去钓鱼呢?您就是这样守信用的吗?"

"这些天我一直在锯木厂干活儿,脱不开身。"他没好意思说,为了买这套衣服,他累得差点儿直不起腰来。

冬妮亚对保尔的恼怒,顷刻间烟消云散了。

此时,保尔已把冬妮亚当做好朋友,还把重要秘密——偷手枪的事也告诉了她,并约她过几天到树林深处去放枪。

"你要当心,别泄漏了我的秘密。"保尔不知不觉把"您"改成了"你"。

"我绝不把你的秘密告诉任何人。"冬妮亚神情庄重地说。

第四章　白色恐怖

爱情是美丽的,但这不代表世界也是和平与美好的。战火正在乌克兰大地燃烧。斗争越来越残酷,越来越多的人卷入战争之中,安宁平静的日子已经一去不复返了。

德军在撤退,游击队在袭击德军,铁路工人在罢工,各地匪帮在乘机打劫,乌克兰处于战争的混乱之中。尤其是大头目佩特留拉手下那群五花八门的匪帮,到处横冲直撞,为非作歹。

旧沙俄军队的军官、右翼和"左翼"

乌克兰社会革命党党徒，总之，只要是不要命的冒险家，只要能纠集一批亡命之徒，就都自封为首领，有时还打着佩特留拉的旗号，用尽一切手段妄想夺取政权。

红色游击队不断向这帮社会革命党和富农组成的乌合之众冲杀，乌克兰大地在这无数的马蹄和炮车车轮下颤抖着。

在那动乱的一九一九年的四月，吓得昏头昏脑的小市民，早上起来，揉着惺忪（xīng sōng）的睡眼，总要提心吊胆地问比他起得早的邻居："阿夫托诺姆·彼得罗维奇，今天城里是哪一派掌权？"

那个"阿夫托诺姆·彼得罗维奇"左右张望，惶恐地回答："不知道啊，阿法纳斯·基里洛维奇。要是抢劫犹太人，那准是佩特留拉的人；要是'同志们'，那一听，就知道是红军了。"

工人们满腔仇恨地瞧着佩特留拉匪帮的蓝黄旗。他们没有力量对抗"乌克兰独立运动"这股沙文主义的逆流。只有当浴血奋战的红军部队击退佩特留拉匪帮的围攻，从这儿路过，工人们才活跃起来。一旦红军部队撤走，黑暗便又重新降临了。

现在，舍佩托夫卡城的主人变成了外第聂伯师的"荣耀和骄傲"的戈卢勃上校。昨天，他率领他那支有两千名亡命徒的队伍耀武扬威地开进了城里。

为了欢迎新主人，城里惟一的剧院特意举行盛大的晚会。佩特留拉派士绅界的全部"精英"都出席了：一些乌克兰教师，神甫的大女儿、美人阿妮亚，小女儿季娜，一些小地主，波托茨基伯爵过去的管事，自称"自由哥萨克"的一帮小市民，以及乌克兰社会革命党的党徒。

剧场里挤得满满的。女教师、神甫的女儿和小市民太太们穿着鲜艳的乌克兰绣花民族服装,戴着珠光宝气的项链,身上装饰着五彩缤纷的飘带。她们周围是一群响着马刺的军官。

军乐队奏着乐曲。舞台上正在忙乱地准备演出《纳扎尔·斯托多利亚》。

演出的时候,军官们带着女伴在酒吧间里大吃大喝。到剧终时,他们已经酩酊(mǐng dǐng)大醉了。

正在此时,一队骑兵向城里飞驰而来。戈卢勃部队的机枪岗哨发现了来历不明的骑兵,哗啦一声推上枪栓。夜空里响起了厉声的呼喊:"站住!干什么的?"

黑暗中有两个人走来。其中一个走到岗哨跟前,用破锣嗓子吼道:"我是头目帕夫柳克,后边是我的部队。你们是戈卢勃的人吗?把我的队伍安顿在哪儿?"

一名军官命令说:"弟兄们,机枪撤开,给帕夫柳克大人让路。"

67

帕夫柳克勒住缰(jiāng)绳，在灯火辉煌的剧院门口停住了。剧场外面十分热闹。

"嗬，还挺快活呢。"帕夫柳克对身边的哥萨克大尉说，"下马吧，咱们也来乐一乐。这儿有的是娘儿们，挑几个可心的玩玩。"接着，他喊了一声："卫兵跟我来。"

两名武装卫兵在剧院门口拦住了帕夫柳克。

帕夫柳克轻蔑地瞧了他们一眼，肩膀一拱，把一个卫兵推到一边。他身后的十二个人跟着闯进剧院。

进来的人立刻引起了人们的注意。帕夫柳克身材高大，穿着上等呢料的军官制服和蓝色近卫军制裤，戴着毛茸(róng)茸的高加索皮帽，肩上斜挎着一枝毛瑟(sè)枪，衣袋里露出一颗手榴弹。

帕夫柳克用力挤开人群，走进圈子里。他挥舞了一下马鞭，喊道："奏果拍克舞曲,卖点儿力气!"但乐队指挥没理睬他。

帕夫柳克扬起马鞭,朝指挥的后背使劲抽了一鞭。指挥立刻跳了起来。音乐顿时停止了,全场一片寂静。

戈卢勃慢腾腾地站起来,一脚踢开椅子,走到帕夫柳克跟前,他立刻认出此人就是同他争地盘的对手帕夫柳克。他正要找这家伙算账呢,因为帕夫柳克曾经用卑鄙(bēi bǐ)的手段暗算过戈卢勃。

一周前,当戈卢勃正同红军酣战时,帕夫柳克本应从背后袭击布尔什维克,但他却把部队拉到一个小镇,在镇里大肆抢劫,蹂躏(róu lìn)犹太人。就是在那时,红军把戈卢勃打得落花流水。

眼下,这个恬(tián)不知耻的家伙竟敢当着他的面,打他的乐队指挥。戈卢勃想,要是不给这家伙一点儿厉害尝尝,往后自己就会威信扫地。

全日制义务教育学生必读书系·钢铁是怎样炼成的

于是，戈卢勃一只手紧紧握住马刀柄，另一只手去摸衣袋里的手枪。他大声喝道："混蛋！把他们拉出去，每人二十五鞭子，给我狠狠地抽！"

他的部下立刻像一群猎狗似的，从四面八方扑向帕夫柳克那伙人。

几分钟后，帕夫柳克一伙人被解除了武装。帕夫柳克被打得鼻青脸肿，羊皮高帽丢了，武器也没有了。他气得暴跳如雷，带着手下跳上马，飞奔而去。

剧院里的人继续跳舞。上校和神甫女儿还没跳完第一圈，就听到哨兵大声报告："帕夫柳克的人把剧院包围了！"

一挺机枪的枪筒从窗口探进来。剧场里的人慌忙逃跑。戈卢勃的副官帕利亚内查一枪打灭大灯，场内一片漆黑。街上传来了吼声："都滚出来！"

女人们尖叫着，戈卢勃在厉声吆喝，这些声音跟外面的喊声、枪声汇成了一片混乱。帕利亚内查从后门溜到后

街,到戈卢勃的司令部去调兵。半小时后,城里展开了正式的战斗。爆豆般的枪声夹杂着机枪声,打破了夜的寂静。

清晨,城里有传闻说烧杀掳掠(lǔ luè)犹太人的事就要发生了。消息也传到了破烂的犹太居民区。犹太贫民拥挤不堪地住在这些勉强可以称做房屋的盒子里。

谢廖沙在印刷厂做工已经一年多了。厂里的工人全是犹太人。谢廖沙同他们亲如一家。他们同心协力对付那个傲慢的大肚子的老板勃柳姆斯坦。

这一天,谢廖沙发现工人们情绪不安。排字工门德利把谢廖沙叫到一个角落里,用忧郁的目光看着他,问:"城里又要虐杀犹太人了,你知道吗?"

谢廖沙吃惊地看着他,说:"没听说,不知道。"

门德利用长辈的口气信赖地对他说:"虐杀犹太人的事十有八九要发生。

犹太人又要遭殃(yāng)了。你愿不愿意帮助我们度过这场灾难?"

"你说吧,要我干什么?"

"谢廖沙,你赶快回家,问你爸爸,能不能让几个老人和妇女藏到你们家去。你再看看谁家还能帮助躲藏几个。快去吧,晚了就来不及了。"

谢廖沙立刻朝门外跑去。

就在戈卢勃和帕夫柳克双方冲突后的第三天,虐杀犹太人的暴行开始了。

在那天的冲突中,戈卢勃的警卫连损失最大。为了提高士气,帕利亚内查建议戈卢勃让部下"消遣"一下。这"消遣"就是虐杀犹太人。

烧杀抢掠从大清早就开始了。

破晓前,犹太居民区的街道空荡荡的,毫无生气。小屋里的人们并没有睡,而是准备应付即将来临的灾难。只有婴孩才无忧无虑地、香甜地睡在妈妈的怀抱里。

这天早上,戈卢勃的卫队长萨洛梅加、副官帕利亚内查率部队出发了。

诡计多端的帕利亚内查做了万无一失的准备。他命令设置岗哨,切断了工人住宅区到车站通城区的道路。他还在列辛斯基家的花园里架设一挺机枪,监视大路,如果有工人出来干涉,就立刻开枪。

一切安排就绪之后,匪兵顺着大路出发了。帕利亚内查和萨洛梅加走在前面,警卫连乱哄哄地跟在后面。

匪兵来到一座两层楼房前,招牌上写着"福克斯百货店"。

"就打这儿开始吧。"帕利亚内查说着,下了马。

帕利亚内查走到紧闭着的店门前,使劲踢了一脚,但是结实的柞木大门纹丝不动。房子里的人早已听到了马蹄声,此时他们的心都快要蹦出来了。

74

店主福克斯早就带着妻子和女儿

逃出了城,只留下十九岁的女仆丽娃和她的老父母三人看门。狡猾的商人骗她说,虐杀的事不一定发生。他回来后,一定赏她钱买衣服。

白发苍苍的老人佩萨赫,瞪着恐惧的蓝眼睛,喃喃地祷告,祈求全能的耶和华帮助他们逃脱不幸。站在身旁的老太婆听着墙外的脚步声正向他们逼近。丽娃跑到最里面的房间,藏到橱子的后面。

猛烈而粗暴的砸门声吓得两位老人身上起了一阵痉挛(jìng luán)。终于,哗啦一声门裂开了。

屋子里立刻挤满了武装的匪兵。他们直奔各个角落,抢劫开始了。

帕利亚内查让部下抢劫,自己却走进了内室。他用野猫般的绿眼睛打量着屋里的三个人,然后对两个老人吼道:"滚出去!"但是两个老人一个也没有动。

帕利亚内查喊来士兵说："把他们给我弄出去!"两个老人被推出了门。帕利亚内查对走进屋来的萨洛梅加说："你在门外等着,我跟这个女孩子说几句话。"

"放了孩子吧!你们干什么呀?"佩萨赫老人朝房门冲过去。萨洛梅加恶狠狠地用枪柄在佩萨赫白发苍苍的头上敲了一下。老人一声不响地倒下了。这时候,一向温和安静的老妇人托伊芭突然像母狼一样扑向萨洛梅加,紧紧抓住他。匪徒们把托伊芭拖到街上,凄厉的叫喊和求救的呼声在街心回荡。

屋子里丽娃的喊声突然停止了。

帕利亚内查走了出来,对萨洛梅加说："别进去了,她已经完了。"说着,他跨过佩萨赫的尸体,一脚踩在浓稠(chóu)的血泊里。

这时,城里一片混乱。没有人敢起来反抗。匪徒们肆意掠夺,接踵(zhōng)

而来的黑夜又带来难以逃避的死亡。这帮匪徒喝得醉醺(xūn)醺的。他们早就等待着黑夜的降临了。

在那可怕的三天两夜里，多少个生命被杀戮(lù)，被摧残！多少个青年在血腥的时刻白了头发！多少眼泪渗进了大地！受尽折磨和蹂躏的少女们的尸体蜷(quán)缩着，毫无知觉地躺在小巷里。

在铁匠纳乌姆的小屋里，当匪徒扑向他年轻的妻子萨拉的时候，他们遇到了猛烈的抵抗。这个身强力壮的二十四岁的铁匠，誓死护卫着妻子。

在短促、凶猛的搏斗里，两个佩特留拉匪兵的脑袋被砸成了烂西瓜。铁匠不顾一切地保卫着两条生命。最后，他用一粒子弹结束了妻子的生命，自己端着刺刀冲出去与匪徒拼命。但他刚一露头，就被密集的子弹打倒了。

谢廖沙和父亲把印刷厂的一半工

全日制义务教育学生必读书系·钢铁是怎样炼成的

人藏在自家的地窖(jiào)里和阁楼上。

谢廖沙穿过菜园回家时，忽然看见一个人沿着公路跑过来。

那是一个吓得面无人色的犹太老人。他穿着满是补丁的长外衣，边跑边挥舞着双手，累得直喘气。他的身后是一个骑马的佩特留拉匪兵，匪兵弯着腰，做出要砍杀的姿势。眼看就要追上了，谢廖沙奋不顾身地跳上大路，冲到马前，用身子护住老人，大声喝道："住手，狗强盗！"

那个匪徒顺势用刀背朝这青年的金发头颅砍了下去。善良的谢廖沙倒了下去。

第五章　革命启蒙

　　红军步步紧逼,不断向匪徒的大头目佩特留拉的部队发起进攻。

　　戈卢勃团被调上了前线。舍佩托夫卡城里只留下少量后方警卫部队和警备司令部。

　　犹太居民利用这短暂的平静,掩埋了死去的亲人。犹太居民区的小屋里又呈现出一些生机。

　　寂静的夜晚,人们隐隐约约可以听到枪炮声。红军对匪徒的战斗就在不远的地方进行着。

車站里没有一辆火车开出,铁路工人都离开了车站,到四乡去找活儿干。

所有的学校都关门了。

警备司令部宣布全城戒严。

这是一个黑沉沉的、阴郁的夜。乌云如远方大火腾起的团团浓烟,在昏暗的天空缓缓移动,昏黄的月亮发出微微颤抖的光,也掩没在乌云之中。

在这样的时刻,谁还会到大街上去乱跑,更何况是在一九一九年四月这动荡不安的岁月。

可就在这样一个深夜,却有一个人匆匆地在街上行走。他来柯察金家的小屋前,小心地敲了敲窗框,没人应答。他又敲了敲,比第一次更响些。

屋里的保尔从噩(è)梦中惊醒。他朝窗外的人影问道:“谁?”

只见人影晃了一下,一个有意压低了的粗嗓门说:“是我,朱赫来。我到你家借宿,小弟弟,行吗?”

"当然行，那还用说！"保尔友好地回答，"你就从窗口爬进来吧。"

朱赫来粗壮的身体从窗口挤了进来。他随手关好窗户，站在窗旁，倾听着窗外的动静。这时，月亮从云层里钻了出来，照亮了大路。他仔细观察着路上的情形，这才转过身来，对保尔说："会把你母亲吵醒吗？"

保尔告诉他，家里只有他一个人。朱赫来这才放心，说："小弟弟，那帮野兽正在抓我。为了车站上最近发生的事，他们要找我算账。虐杀犹太人的时候，要是大伙儿再齐心些，本来可以给那帮灰狗子们一点儿厉害看的。但人们还没有上刀山下火海的决心，所以没干成。现在敌人正盯着我，两次设埋伏要抓我。今天差点被逮住。刚才，我正回住处，发现有个家伙藏在院子里，身子紧贴大树，可是刺刀露在外面，让我看见了。我转身就跑，一直跑到你家。我打算在你家住几天,你不反对吧?"

看到朱赫来,保尔十分高兴。最近发电厂停工,他一个人在家里,冷冷清清的,觉得非常无聊。

他们躺到床上。保尔很快就睡着了。但朱赫来一直在抽烟。过了一会儿,他又起来了,光着脚走到窗前,朝街上看了很久,才又回到床上。他实在太疲倦了,一躺下就睡着了。睡着时,他的一只手还伸到枕头底下,按在手枪上。

朱赫来在保尔家里住了八天。这件事成了保尔生活中的一件大事。保尔从朱赫来那里第一次听到了许多重要的、令人激动的新鲜道理。这八天对年轻保尔的成长有着非同寻常的意义。

朱赫来已经两次遇险,他像关进铁笼的猛兽一样,暂时呆在这里。他对蹂躏乌克兰大地的匪徒充满了仇恨。此时,他就利用这段迫不得已而闲着的时间,把满腔怒火和憎恨都传给了如饥似渴的保尔。

朱赫来向保尔讲述有关革命的道理,讲得是那么鲜明生动,通俗易懂。他对一切问题都有明确的认识,坚信自己走的道路是正确的。保尔从朱赫来那里知道了一大堆五花八门的党派,什么社会革命党、社会民主党、波兰社会党等等,原来都是工人阶级的凶恶敌人;只有一个才是不屈不挠地同所有敌人作斗争的政党,那就是布尔什维克党。

费奥多尔·朱赫来,健壮有力的革命者,曾是一位久经狂风巨浪考验的波罗的海舰队的水兵。这位一九一五年就加入俄国社会民主工党的坚强的布尔什维克,对年轻的锅炉工保尔讲述着严峻的生活真理。保尔两眼紧紧地盯着他,听得入了神。

"小弟弟,我小时候和你差不多,"朱赫来说,"浑身是劲,总想反抗,就是不知道力气往哪儿使。那时候,我家里很穷，一看见财主家那些吃得好穿得好的小少爷，我就恨得牙痒痒的。我常常使劲地揍他们。可那有什么用呢，过后还得挨爸爸的一顿痛打。只单枪匹马地去干，是改变不了这个世道的。保夫鲁沙，你完全可以成为工人阶级中的一名战士，只是你的年纪还小了点儿，阶级斗争的道理，你还不大明白。我看你挺有出息，所以想跟你说说应该走什么路。我最讨厌那些胆小怕事、低声下气的家伙。现在全世界都燃起革命的烈火，奴隶们起来造反了，要把旧世界沉到海里去。但是，革命需要的是勇敢坚强的阶级弟兄，而不是娇生惯养的公子哥儿；需要的是坚决斗争的钢铁战士，而不是战斗一打响就像蟑螂躲亮光那样钻墙缝的软骨头。"

朱赫来用力捶了一下桌子，然后站起身来，双手插在衣袋里，皱着眉在屋里走来走去。

朱赫来后悔不该留在这个倒霉的小城里。他认为再呆下去已没有什么意义，因此，他决定穿过火线，找红军大部队去。城里还有一个九个人的党组织，可以继续进行工作。

　　"费奥多尔，你到底是干什么的？"有一天，保尔问他。

　　朱赫来站起来，把手插在衣袋里。他一时没有弄明白这句话的意思。

　　"难道你还不知道我是干什么的吗？"

　　"我想你一定是个布尔什维克，要不就是个共产党。"保尔低声回答。

　　朱赫来哈哈大笑起来，逗乐似的拍拍被蓝白条水手衫紧箍着的厚实胸脯。

　　"小弟弟，布尔什维克就是共产党，共产党就是布尔什维克。"接着，他严肃地说，"既然你知道了，就应当记住：要是你不愿意他们整死我，那你不论在什么地方，不论对什么人，都不能泄漏这件事。懂吗？"

"我懂。"保尔坚定地回答。

这时，从院子里突然传来说话声，没有敲门，人就进来了。朱赫来急忙把手伸到衣袋里去掏枪，但是立刻又放了回去，因为进来的是谢廖沙，他头上缠着绷带，脸色苍白。跟在他后面的是他的妹妹瓦莉亚和克利姆卡。

谢廖沙还没有完全复原，就靠在床上。朋友们立刻热烈地交谈起来。平时，谢廖沙总是高高兴兴、有说有笑的，今天却显得沉静、抑郁。他把佩特留拉匪兵砍伤他的经过告诉了朱赫来。

朱赫来对这三个青年都很了解。他很喜欢这些年轻人。他认为，他们虽然还没找到应该走的道路，但都表现出鲜明的阶级意识。朱赫来认真地听他们讲，他们是怎样把犹太人藏在自己家里，帮助他们躲过匪徒暴行的。这天晚上，朱赫来也给他们讲了许多关于布尔什维克和列宁的事情,帮助他们认识当前发生的种种情况。

在这期间,朱赫来总是每天傍晚出去,深夜才回来。他忙着在离开之前同留在城里的同志们商量今后的工作。

有一天,朱赫来一夜没有回来。保尔早上醒来,看见床铺还空着,心里有些不安和紧张。

保尔预感到出了什么事情,慌忙穿好衣服,走出门去,想打听朱赫来的消息。

保尔去找谢廖沙,把自己担心的事告诉他。瓦莉亚在一旁安慰说:"别担心,也许他在熟人家住下了。"但她的语气并不自信。

离开谢廖沙家后,保尔向家走去。他走近家门口,满心希望这时候能在屋里看到朱赫来。但是,屋门还是紧锁着。他心情沉重地站在门口,实在不想走进空屋子里。

他站了几分钟,想了想该怎么办。87

不一会儿他向后院的板棚走去,他在那个秘密的角落里掏出那枝偷来后至今还没有使用过的曼利赫尔手枪。

保尔朝车站走去。口袋里装着那枝沉甸甸的手枪,他心里有些紧张。

在车站上,保尔还是没有打听到朱赫来的下落。回来的路上,经过林务官家的花园,他放慢了脚步,只见遍地都是去年的枯叶,整个花园显得十分荒凉。古老的大房子和冷落而空荡的景象,更增添了保尔的愁思。

他记起和冬妮亚最后一次争吵的情景,那是他们相识以来最厉害的一次。那是一个月以前的事,事情发生得也很突然。

那天,他和冬妮亚偶然在路上相遇。冬妮亚邀他到家里去玩。她告诉保尔,她的父母不在家,他俩可以在一起读书、聊天,度过一个愉快的晚上。保尔高兴地答应了。

当天一下班,保尔就如约赶到冬妮亚家。冬妮亚听到敲门声,赶快跑来开门。她略带抱歉地说:"我来了几个客人。保夫鲁沙,我没想到他们会来,不过你可不许走。"说着,不由分说地就挽着他的胳膊,把他带到自己的卧室。

一进屋,冬妮亚就微笑着对屋里的几个年轻人说:"这是我的朋友保尔·柯察金。"

屋里坐着三个人:一个是莉莎·苏哈里科,她的哥哥曾被保尔打倒在水里。她很漂亮,肤色微黑,长着一张任性的小嘴,梳着时髦(máo)的发型;另一个男孩保尔从未见过,他衣着整洁,细高个子,头发梳得油亮,眼睛流露出寂寞、忧郁的神情;第三个是维克托·列辛斯基。当冬妮亚一推开门时,保尔首先看到的就是他。这时,维克托也认出来客是保尔,他吃惊地皱了一下他那尖细的眉毛。

保尔站在门口沉默了几秒钟，一双充满敌意的眼光紧盯着维克托。冬妮亚没想到会出现如此难堪的局面，于是，她一边请保尔进来，一边向莉莎打招呼："来，我给你介绍一下。"

莉莎带着好奇的神情打量着保尔，并向保尔欠了欠身子，算是打了个招呼。

这时，只见保尔一个急转身，便大步向门口走去。冬妮亚一直到大门口的台阶上才追上他。她两手抓住保尔的肩膀，激动地说："你为什么要走呢？我是有意叫他们跟你见面的。"

内心憋了一团火的保尔把她的手从肩上拿开，不客气地说："用不着拿我在这些废物跟前展览。我跟这帮家伙坐不到一块。可能你觉得他们挺可爱，可我恨他们。我不知道他们是你的朋友，早知道这样，我是绝不会来的。"

此时，冬妮亚也在压住心头的火

气,她打断他的话头说:"凭什么这样对我说话?我可从来没问过你,你跟谁交朋友,谁常到你家去。"

保尔径直往前走,并不理会冬妮亚的话,而是斩钉截铁地说:"那就让他们来好了,反正我不来了。"说完,保尔头也不回地向花园的栅栏门跑去。

自那天以后,他再也没有见到过冬妮亚。在匪徒虐杀犹太人的暴行期间,保尔和电工一道忙着往发电厂藏匿犹太人家属,早把那次口角忘到九霄云外去了。但是此时此刻,又勾起了他的回忆。不知为什么,他很想见到冬妮亚。

朱赫来失踪了,冷清的家等待着保尔的是孤独和寂寞,一想到这些,他的心情就特别沉重。保尔边走边想,不知不觉前面就要到公路了。春天解冻以后,公路上的泥泞还没有全干,车辙(zhé)里全是褐色的泥浆。

紧挨着路边有一所旧房子,墙皮已

经剥落。公路拐过这所房子,便分成了两股岔路。在公路十字路口上有一个废弃的售货亭,此刻,一对似乎是恋人的年轻人正在这个破售货亭旁边告别。那是维克托和莉莎。

维克托久久握着莉莎的手,情意缠绵地看着她的眼睛,问:"您来吗?您不会骗我吧?"

莉莎卖弄风情地回答:"放心,我一定来。您等我好了。"

他们终于分手了,向着两个不同的方向走了。他们根本想不到马上就会发生什么事情。

莉莎刚走出十来步,就看见两个人从拐角后面走出来,上了大路。走在前面的是一个矮壮的、宽肩膀的工人,他敞着上衣,露出里面的水手衫,黑色的帽子低低地压住前额。他穿着一双短筒黄皮靴,腿略微有点弯屈,但坚定地朝前走着。

在他身后是一个穿灰军装的佩特留拉匪兵，他手上的刺刀尖几乎顶着了前面那个人的后背。匪兵的眼睛警惕地盯着被捕者的后脑勺。

看到这种情景，莉莎放慢了步子，转到公路的另一侧。这时，保尔在她的后面也走上了公路。当他向右转，往家的方向走的时候，也发现了这两个人。

保尔马上认出被匪兵押解的那个人是朱赫来。此刻，他愣住了，他的两只脚像生了根一样，一步也挪不动。他这才明白朱赫来为什么没有回家，也打听不到他的去向。眼看着朱赫来越走越近，保尔的心都要快跳出来了。怎么办？各种想法一下子全涌上心头，保尔简直理不出个头绪来。时间如此紧迫，如果再拿不出主意，朱赫来肯定没救了！

保尔眼睁睁地瞧着他们一步一步走过来，心里有如一团乱麻，仍然不知道怎样办才好。

怎么办？

就在这紧急的关头，保尔突然想起口袋里的手枪。他决定，等他们走过去，他立刻向端枪的匪兵背后开枪，朱赫来就能得救。一瞬间做出这样的决定之后，保尔的思绪清晰了。他想起朱赫来说过的话："干这种事，需要的是勇敢坚强的阶级弟兄……"此时，这番话给了他巨大的勇气和力量。

保尔迅速地观察周围的情况：通往城里的大路上空荡荡的，一个人影也没有。前方的路上，只有一个穿春季短大衣的女人似乎在急忙赶路。她不会碍事的。十字路口的另一侧，他看见远处通向车站的路上有几个人影。

这时，保尔已走到公路边上。当他们相距只有几步远的时候，朱赫来看到迎面走过来的人是保尔。

朱赫来看了看他，两道浓眉微微一颤，他感到很意外，竟然一下子愣住了，

脚步随即停了下来。可是,匪兵的刺刀尖立刻顶紧了他的后背。

"喂,快走,再磨蹭我就给你两枪托!"押送兵凶狠地吆喝着。

朱赫来只好加快了脚步。他很想对保尔说几句话,但他竭力忍住了,只是挥了挥手,像和一个偶然遇到的陌生人随便打个招呼似的。

为了不引起匪兵的疑心,保尔赶紧转过身去,让朱赫来走过去,好像他对遇到的这两个人毫不在意似的。

就在这时,保尔的脑海里突然又钻出一个令人不安的想法:要是我一枪打偏了,会不会打中朱赫来……

保尔还在犹豫,佩特留拉匪兵已经走到他身旁了,在这关键时刻,哪能容得他多想!

当押送的匪兵走到保尔面前的时候,只见保尔猛然向他扑去,紧紧抓住他的步枪,使出全身力气用力向下压,只听到匪兵的刺刀啪嗒一声碰在石头的路面上。

佩特留拉匪兵怎么也没有想到大白天竟然有人敢袭击他，顿时愣住了，但出于本能，立刻尽全力往回夺枪。可是，保尔把整个身子的重量都压在枪上，死也不松手。匪兵扣动了扳机，发出一声枪响，子弹打在石头上，蹦起来落到远处。

走在前面的朱赫来听到枪声，回头一看，只见押送兵正发疯似的从保尔手里往回夺枪。那匪兵转着枪身，扭绞着保尔的双手，但保尔还是紧紧抓住枪不放。押送兵气疯了，猛一使劲，把保尔摔倒在地。尽管这样，枪还是没有夺走。当保尔被匪兵摔倒的时候，也就势把那个押送兵拖倒了。在这时，没有任何力量可以让保尔放开手中紧紧抓住的枪。

说时迟那时快，只见朱赫来一个箭步冲到他们面前，抢起拳头，连连向押

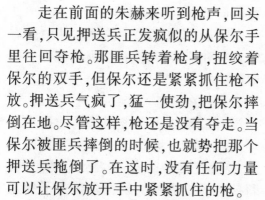

送兵的头部打去。那家伙哪里能经得起朱赫来拳头那铅一般沉重的打击。他松手放开倒在地上的保尔，像一只装满粮食的口袋，滚下壕沟。

朱赫来用他那双强有力的手，把保尔从地上扶起来。

当朱赫来和保尔从莉莎身旁跑过去的时候，她大吃一惊，呆呆地站住了。她认出袭击押送兵的竟是前些日子冬妮亚向她介绍的那个少年。

事后，有好几个人被捕，其中就有维克托和莉莎。莉莎是作为见证人被扣留的。

莉莎在警备司令部受到了盘问，但她没有说她认识袭击押送兵的那个少年。直到晚上，警备司令才下令释放他们。维克托陪她回家，快要到家的时候，莉莎告诉维克托，是保尔袭击了押送兵。维克托听后，站在那里呆住了。

"那您怎么不向警备司令告发呢？"

莉莎气愤地说："我能干这种卑鄙的事情吗?您把他们干的那些事都忘记了?您不知道学校里有多少犹太孤儿?您还让我去告发柯察金?谢谢您,我真没想到。"

维克托想不到她会这样回答。在回城的路上,维克托心里思量着:小姐,您认为是卑鄙,可我有我的看法。

维克托走进警备司令部的大门。不一会儿,他带着四名佩特留拉匪兵向柯察金家走去。

保尔压根儿也没有想到这么快就会被捕。他很纳闷:他们怎么知道是我呢?这个问题让他伤透了脑筋,多年后他才找到答案。

从家里到司令部这一路上的遭遇,保尔是永远不会忘记的。漆黑的夜,伸手不见五指。匪兵们不停地拳打脚踢保尔,毫不留情。最后,保尔被推进一间黑屋子。在黑暗中,他找到一个木板床似的东西，坐了下来。他受尽了折磨和毒打，心情十分沉重。

这一夜，保尔翻来覆去，久久不能平静。他想，自己第一次参加革命斗争，就不顺利，这么快就被关起来了。他又想起了母亲，她面孔瘦削，满脸皱纹，那双眼睛是多么慈祥啊！幸好妈妈不在家，可以少受点儿罪。他想着想着就睡着了。

光线渐渐地透进窗口，照入牢房。夜的黑暗逐渐消失，黎明即将来临。

第六章　经受磨难

早晨，冬妮亚还在睡梦中，莉莎就来了。她急不可待地把昨天在十字路口发生的事告诉了冬妮亚。当她讲到保尔袭击押送兵救了犯人时，冬妮亚战栗了一下，痛苦地缩作一团。

"是柯察金?"

接着，莉莎讲了她和维克托吵嘴的经过。她不停地讲着，没有注意到冬妮亚的脸已变得苍白。莉莎根本不知道，此时的冬妮亚是多么惊慌，可她还在喋(dié)喋不休地讲下去。冬妮亚已

101

经听不下去了，她脑子里只是在想：维克托已经知道是保尔袭击了押送兵。可是，莉莎为什么要告诉他呢？于是，她激动地责问莉莎：

"你为什么把柯察金的事情告诉维克托呢？维克托会出卖他的……"

这时，莉莎才发现冬妮亚焦急的神情。莉莎意识到自己做错了事，也验证了她以前曾经猜测过的事情。只是她不能理解：冬妮亚怎么会爱上他？他只是一个普普通通的工人……

莉莎还想和冬妮亚谈这事，但又怕失礼，就没有再问。为了表示歉意，她拉住冬妮亚的手，说："你很担心吗？"

冬妮亚精神恍惚地说："不，也许维克托比我想像的要好一些。"

冬妮亚送走了莉莎，倚着栅栏门站了很久。她凝视着通向城里的那条大道。远处是她所恼恨的小城。在城里的一间房屋里，住着她那个不安分的朋友，他还不知道就要大祸临头了。自从上次见面后，又有多少天过去了！那次是他的错，不过她早淡忘了。明天她一见到他，他们一定会和好如初的。对此冬妮亚深信不疑。但愿这一夜平安无事。

冬妮亚临睡前还念叨着：黑夜，千万不要出卖他呀！……

清晨，家里的人还都在熟睡中，冬妮亚就迅速穿好衣服去找保尔。在柯察金家门前，她犹豫不决地站了片刻，随后，推开栅栏门，走进了院子。

阿尔焦姆也在这时回到家。他一看就愣住了，屋子里被翻得乱七八糟，破破烂烂的东西扔得一地。这时他看见一个陌生的姑娘朝屋子走来。

"我找保尔·柯察金。"她打量着阿尔焦姆，轻声地说。

"我也正找他呢！谁知道他跑到哪儿去了！您找他有事吗？"他问姑娘。

103

姑娘没有回答,忧虑的眼光望着敞开的门。她自责道:我为什么昨晚不来呢?难道真的出事了……她的心情异常沉重。

"您找保尔到底有什么事?"

冬妮亚走到阿尔焦姆面前,看了看周围,急促地说:"要是保尔没在家,那准是被捕了。"

当冬妮亚把她知道的全都告诉了阿尔焦姆后,他异常沮丧。冬妮亚和阿尔焦姆一时都没有说话。

"我要走了,晚上我再来听消息。"冬妮亚告别阿尔焦姆时轻声说,阿尔焦姆默默地点了点头。

在警备司令部里,临时用作牢房的仓库里一共关押着三个人。一个是大胡子老头儿,他因住在他家的佩特留拉士兵的一匹马不见了而被捕。地上坐着一个上了年纪的女人,贼眉鼠眼,是个酿(niàng)

私酒的，因为有人告发她偷了表和其他贵重物品而被抓来的。在窗子下面的角落里，昏昏沉沉地躺着的是保尔·柯察金。

这时，匪兵又带进来一个姑娘。她睁着两只惊恐不安的大眼睛，打量着四周，随后，就坐到了酿私酒的女人身旁。

老太婆把姑娘仔细打量了一番，问："小姑娘，你也来坐牢啊？"

姑娘站起来，低声回答说："是因为哥哥的事被抓来的。"

姑娘向柯察金那边扬了扬头，问老太婆："他为什么坐牢？"

老太婆凑到姑娘面前，悄声说："他救了一个布尔什维克。"

这天，车站上十分嘈(cáo)杂，军车一列接着一列开来，纷乱的人群挤满了车站。哥萨克的谢乔夫狙(jū)击师从车上下来。骑兵们整鞍上马，军官们跑来跑去，喊着自己部队的番号。随后，这股武装的人流就朝城里涌去。

街上车轮声、脚步声和马蹄声，透过苍茫的暮色，传入正在小窗边的保尔的耳内。

这时，他耳边有人小声说："是军队进城了。"说话的是刚被关进来的姑娘。

保尔知道姑娘的哥哥格里茨科是个游击队员，在苏维埃政权里领导过贫农委员会。红军撤退时，格里茨科扛起枪跟着走了。警备司令看中了这个姑娘，就以红军家属为名把她带回城里来"审问"。

保尔无法入睡，辗(zhǎn)转反侧，被毒打的身体像针扎一样疼痛。就是那天，哥萨克押送兵兽性大发，把他狠狠地打了一顿。

叫他听到身旁两个女人正在低声交谈。姑娘叫赫里斯季娜，她正在讲警备司令怎样缠住她，威逼利诱，被拒绝后又怎样暴跳如雷，还说要把她关起来,一辈子不放她出去!

令人窒(zhì)息和不安的黑夜降临了。保尔心想,明天会怎么样?这是第七夜,但对保尔来说,好像已是几个月了。老头儿躺在板床上打呼噜,像睡在自家的热炕上一样。酿私酒的老太婆被警备司令放出去弄烧酒去了。赫里斯季娜和保尔都躺在地上,离得很近。保尔昨天从窗口看见谢廖沙在街上站了很久,忧郁地盯着这座房子的窗户。

"看样子,他知道我关在这儿。"

这两天,警备司令天天提审他。拷问的时候,保尔什么也不说。连他自己也不知道为什么能这样。他想做一个勇敢和坚强的人,像书里写的那样。可是被捕的那天,他听见一个匪兵说:"干吗把他带回去?给他一枪不就完了?"当时,他还有点害怕。是啊,十六岁就死了,这多么可怕!保尔一连几夜都翻来覆去睡不着。

赫里斯季娜很同情他，她比这个小伙子知道得多一些。那天，她听到警备司令对他的手下说，要把保尔由十六岁改成十八岁，这样就可以请求上面批示，把他枪毙了……但她也有自己的痛苦，警备司令威胁说："如果明天你再不依我，就把你交给卫兵。他们可是求之不得的。你看着办吧！"绝望和恐惧涌上了心头，她失声痛哭起来，她的身躯因为过度悲愤和绝望而不住地抽搐(chù)着。

　　保尔悄声地问："你怎么啦？"

　　赫里斯季娜激动地向身旁这个沉默寡言的难友倾诉自己的痛苦。他听着，没有说话，只是把一只手放在她的手上。

　　"这帮该死的畜生一定会糟蹋我的。"赫里斯季娜怀着一种下意识的恐惧，小声地说，"我是完了。"

　　保尔能对她说什么呢？他实在找不出适当的话来宽慰这个可怜的姑娘，而且他即使与他们拼了，也救不了姑娘。

时间不知不觉地过去了。突然一双手紧紧搂住他，并把他拉过去。保尔还不明白是怎么一回事。

"亲爱的，"姑娘那热烈的嘴唇小声地说，"明天不是那个当官的，就是那帮当兵的，一定会糟蹋我的。我把我这姑娘家的身子给你吧，亲爱的小伙子。我不能让那些畜生来破身。"

姑娘的话是那样简单明白，那样温柔多情，他完全理解她的心意。顿时，眼前的一切都不见了：牢门上的大锁，红头发的哥萨克，凶恶的警备司令，惨无人道的拷打，以及七个令人窒息的不眠之夜……所有这些都消失了，一瞬间只剩下姑娘热烈的嘴唇和泪痕未干的脸庞。突然，保尔想起了冬妮亚，想起了她那双秀丽的、可爱的眼睛。

他终于找到了自制的力量。他离开了姑娘，抓住窗上的铁栏杆。但是，赫里斯季娜的两只手还是摸到了他。

"你怎么不来呢?"

这句话包含着多少情意呀!保尔俯下身来,紧握住她的双手,说:"我不能这样,赫里斯季娜,你太好啦。"他还说了一些连他自己也不懂的话。看到保尔这样,赫里斯季娜裹着头巾,在角落里失声痛哭起来。

第二天,警备司令带着几个哥萨克兵打开牢门,带走了赫里斯季娜。临走时,她用眼睛向保尔告别,眼神里流露出对他的责备。牢门在姑娘身后砰的一声关上了。保尔的心情也变得更加郁悒(yì),更加沉重。

当天晚上,匪兵又押来一个人。保尔认出他是木匠多林尼克。保尔曾在一九一七年二月的一次示威游行中,听过多林尼克的演讲。他说的最后一句是这样的:"士兵们,你们支持布尔什维克吧!他们是绝不会出卖你们的!"以后,保尔再也没有见到过他。

当木匠得知保尔被捕的原因后十分惊讶,他用机敏的眼睛盯着他,看了好久。

"是你救了朱赫来?但我还不知道你被捕了呢。"

保尔很谨慎,急忙说:"哪个朱赫来?我什么也不知道。"

多林尼克笑了笑,凑到他跟前:"得了,小朋友,你别瞒我了。我知道得比你多。"

他怕老头儿听到,就压低了声音,说:"是我亲自把朱赫来送走的。他把事情的经过全都告诉我了。"

他沉默了一会儿,好像在思考,随后说:"你这小伙子,看来还真不错。不过,这里可真是不妙,简直是糟糕透了。"

他脱下外套,卷起一枝烟。

保尔判断多林尼克是自己人。既然是他送走了朱赫来,那就是说他一定是自己人。保尔在心里不停地思考着。

到了晚上，保尔已经知道多林尼克因为在佩特留拉的哥萨克中间进行鼓动而被捕，当时他在散发号召他们投诚、参加红军的传单。但多林尼克没有向保尔讲更多的事情，他很担心保尔会经受不住拷打而泄露出去。

夜间，他向保尔说出了自己的担心："你我的处境都很糟糕，还不知道是个什么结局。"

突然，门外守卫室里响起了喊声和脚步声，一个人高声发着命令。谢乔夫的狙击师，全副武装，组成一个个四方的队形，从三面把广场围起来。这个佩特留拉"政府"的精锐师的士兵们衣着整齐地站在那里，他们穿的都是前沙皇军队的储备品，而这里的一大半人都是顽固的反对苏维埃的富农分子。他们被调到这里，是为了要占据这个具有重要战略意义的铁路枢纽。站立在步兵后面的是戈卢勃的骑兵团,他挡住了密密麻麻的看热闹的人群。

铁路从舍佩托夫卡朝五个不同的方向伸展出去。对佩特留拉来说,失去这个小城,就等于失去一切。他的"政府"的地盘现在只有巴掌大了,而小小的温尼察居然成了首都。所以,今天大头目佩特留拉决定来这里视察部队。

欢迎仪式准备得非常隆重。教堂里,瓦西里神甫穿起了复活节才穿的法衣。教堂的台阶上站着一群校官和尉官、驼背的市长以及一群经过挑选的"各界人士代表"。步兵总监是阅兵式的总指挥。这时,步兵总监把切尔尼亚克上校叫到跟前。

"你带人去检查一下警备司令部和后方机关,各处要打扫干净,收拾整齐。如果有犯人,你就查问一下,把那些无关紧要的废物都撵走。"于是,切尔尼亚克上校带着哥萨克大尉去执行命令了。

113

谢廖沙、瓦莉亚、克利姆卡也夹杂在人群里看热闹。谢廖沙两手紧紧抓住栏杆，眼睛里充满了仇恨。

这时，切尔尼亚克上校和哥萨克大尉在警备司令部门前跳下马，把马交给勤务兵，急忙走进了警卫室。切尔尼亚克厉声询问一个勤务兵："司令官在哪儿？"

"不知道。"那个小兵慢腾腾地回答，"他出去了。"

切尔尼亚克看了看这间又脏又乱的警卫室。所有的床铺都是乱糟糟的，司令部的几个哥萨克卫兵满不在乎地横在床铺上，就连长官进来也没起立敬礼。

"怎么搞的，简直是个猪圈！"切尔尼亚克吼叫起来，"大头目正在检阅，说不定要到这儿来视察。你们动作快点！"

那些哥萨克卫兵一见事情不妙，他们都知道切尔尼亚克的厉害，就赶快忙碌起来。

上校一行人又来到牢房。他一脚踢开房门，看到有几个人坐在里面。"把门敞开！"切尔尼亚克命令说，"屋子里太暗了。"然后他仔细地端详起每个人的脸。

"你为什么坐牢？"他厉声问坐在板床上的老头儿。

老头儿被吓得有点儿结巴，含糊不清地说："我……我自己也不知道。我院子里官家的一匹马丢了，那能怪我吗？"

切尔尼亚克把老头儿从头到脚迅速打量了一遍，不耐烦地耸了耸肩，说："赶快给我滚蛋！"

他喊完之后，转身去问那个酿私酒的老太婆。

老太婆委屈地说："长官大人，我冤枉！司令拿了我四瓶酒不给钱，就把我关了起来。"

"得了，赶快见鬼去吧！"

多林尼克看着这滑稽的场面，惊讶

115

地睁大了眼睛。被关的人只知道一点：这两个人有权处置犯人。

"你呢?"切尔尼亚克问多林尼克。

多林尼克看了上校几秒钟，突然，他闪出一个念头：说不定能混出去呢。

"我是晚上八点钟以后在大街上走给抓来的。"他顺口编了一个理由。他不敢肯定自己能否交上好运。

"走吧!"多林尼克听到了这两个字，腿不由得哆嗦了一下，他连外套都忘了拿，一步就跨出了门口。

保尔看到这些人这么容易就被放走了。多林尼克……他说是夜里上街被捕的……保尔终于明白了，也许他的机会来了。

最后，切尔尼亚克站在保尔面前，上下打量着他。

"你怎么来的?"

"我家住了两个哥萨克，我从旧马鞍上割了一块皮子钉鞋掌，他们把我送

到这儿来了。"保尔怀着获得自由的强烈愿望,又补充了一句,"我要是知道他们不让……"

"这个警备司令搞什么名堂,活见鬼,抓来了这么一帮犯人!"切尔尼亚克喊道,"你可以回家了。告诉你爸爸,叫他好好收拾你一顿。快走吧!"

保尔的心都要快跳出来了。他从地上抓起多林尼克的外套,冲了出去。他很快就跑到了大街上。

保尔不知道去哪儿才安全,只是一直往前跑,跑到筋疲力尽撞在一道栅栏上,这才冷静下来。他定神一看,愣住了:栅栏里是林务官家的花园。为什么他会跑到这里来了呢?他回答不出来。

先找个地方休息一下,然后再说吧。这么想着,保尔就纵身一跳,翻身进了花园。

这时,一条大狗向他猛扑过来,汪汪的叫声震荡着整个花园。随即保尔听到一个熟悉的声音在喊:"特列佐尔,回来!"

这是冬妮亚的声音,她沿着小路跑过来。她突然发现了站在栅栏边的少年。她愣住了,眼睛睁得大大的,眼前的这个少年多么像保尔啊!

保尔动了一下,轻声说:"你……您还认得我吗?"

冬妮亚惊叫了一声,"保夫鲁沙,真的是你呀!"

冬妮亚紧紧握住保尔的双手,问他:"你给放出来了?"

保尔有气无力地回答说:"他们错放了我,现在大概又要抓我了。我是无意中跑到这儿来的。"他抱歉似的又说:"我太累了。"

冬妮亚注视了他一会儿。此刻,她又惊又喜,内心交织着无限的怜悯(mǐn)和柔情。她紧紧地握住保尔的双手,说:"保夫鲁沙,亲爱的,亲爱的

119

保尔，我的亲人，好人……我爱你……你听见了吗？……我的倔强的小东西，你那天为什么走了？现在，说什么我也不放你走了。我们家很清静，你愿意住多久就住多久。"

保尔摇了摇头说："要是他们把我从你们家里搜出来，那可怎么办？我不能去你家。"

冬妮亚把保尔的手握得更紧了，她的眼睛里闪着泪花。

"你要是不留下，就永远别再见我。再说，阿尔焦姆给抓去开火车了，你能到哪儿去呢？"

保尔理解她的心情，但他怕连累心爱的姑娘。这些天的折磨使他难以支持，而且又饿又累，他终于让步了。

他坐在冬妮亚房间里。厨房里，母女俩正在谈话。冬妮亚的声音在颤抖："妈妈，我求你让他暂时住在咱们家里。他又饿又累。好妈妈，如果你爱我，就不要反对。我求求你啦。"

她们没有再说什么。冬妮亚的母亲叶卡捷林娜·米哈伊洛夫娜这一生吃足了苦头。她至今记得,那些旧礼教如何毒害了她的青春年华,所以在女儿的教育问题上,她摒(bìng)弃了市侩(kuài)阶层的许多偏见和陋习,而采取一种开明的态度。她密切关注着女儿的成长,为她忧心忡(chōng)忡,有时还不动声色地帮助她摆脱各种困境。但是现在,保尔要住到家里来,她感到有点儿不安。

可冬妮亚却热心地张罗起来了。她跑来跑去,忙碌着,又是烧洗澡水,又是找衣服。她跑进屋里,抓起保尔的手,把他拉到了洗澡间。午饭后,三个人坐在冬妮亚的房间里,保尔把他遭受的苦难讲了一遍。

"您今后打算怎么办呢?"叶卡捷林娜·米哈伊洛夫娜问。

保尔沉思了一会儿,说:"我想见见我哥哥阿尔焦姆,然后就到乌曼或者基辅去。我要离开这儿。"

保尔简直不敢相信,早晨他还在牢房里,现在却坐在冬妮亚的身边,最主要的是他获得了自由。然而,他随时都可能被抓走。他不能留在这里。

保尔心里实在舍不得离开自己心爱的人。真见鬼!他是那样敬佩加里波第,他的一生多么艰难啊!在世界每一个地方都受到迫害!而他,保尔,一共才受了七天痛苦的磨难,就好像过去整整一年似的。看来,他并不是一个英雄。

"你在想什么呢?"冬妮亚俯下身子问他。

保尔看了她一眼,态度坚决地说:"我今天就离开这儿。"

"不行,你今天哪儿也不能去!"

她把纤细温暖的手指轻轻伸到他那不驯顺的头发里,温情地抚摸着。

"冬妮亚，请你去找一找我哥哥，再让谢廖沙把我藏在老鸹(guā)窝里的手枪拿下来。"

当冬妮亚回来时，保尔睡得正香。她叫醒了保尔。

冬妮亚带来了阿尔焦姆。

阿尔焦姆紧紧地抱住保尔，高兴地说："好弟弟！保尔！"

大家商量决定：保尔明天走。阿尔焦姆把他送上勃鲁扎克的机车上，带他到卡扎京去。

这些天来，一向刚强的阿尔焦姆一直担心着弟弟的生死，终日心神不宁。此刻，他好像卸下了压在心头的石头，别提有多轻松了。

阿尔焦姆走后，天很快黑了下来。保尔和谢廖沙在黑暗的花园里见了面。两个好朋友紧紧地握着手。谢廖沙的妹妹瓦莉亚也来了。他们低声地交谈着。

"你家院子里尽是匪兵，根本没法

上树拿枪。"谢廖沙告诉保尔。

"算了吧!"保尔安慰他说,"要是路上被查到,就要掉脑袋。但以后你一定要把枪拿走。"

他们依依不舍地和保尔告别,很快消失在黑暗里。

房间里一片寂静。保尔和冬妮亚毫无睡意,六个小时后他们就要分别,也许永远不能再见面了。两个人心中都有千言万语要诉说,但在这短暂的几小时里,能说得完吗?这最后的时刻他们是紧挨在一起度过的,他们的心感受着对方给予自己的幸福和甜蜜。

第七章　战友情深

几天来,红军与盘踞在舍佩托夫卡的佩特留拉匪帮的谢乔夫师展开了激战。谢廖沙加入了红军队伍,参加了攻打车站的战斗。他很自豪自己成为一名红军战士。苏维埃乌克兰第一师攻克舍佩托夫卡城,并很快恢复了这里的苏维埃政权组织。

小城建立了革命委员会,主席是多林尼克,委员会办公室设在列辛斯基庄园。

第二天傍晚,当地的乌克兰共产主

义青年团委员会也建立起来了。革命委员会把谢廖沙从连队调到团区委。

新的生活突然而又迅速地闯进来，它占据了谢廖沙的整个身心，把他卷入到急流漩涡中。

谢廖沙·勃鲁扎克，成了一名布尔什维克。他的口袋里装着乌克兰共产党(布)委员会发的白纸卡片，上面写着：谢廖沙是共青团员、团区委书记。在他的军便服皮带上，威风凛(lǐn)凛地挂着一枝曼利赫尔手枪，那是好朋友保尔送给他的。他时常想：保尔要是在这里该多好。

谢廖沙整天忙着执行革命委员会的各项指示。他经常到驻在火车站的师政治部去，为委员会领取书报和宣传品。

一天，委员会的领导伊格纳季耶娃利用乘车去车站的时间，跟谢廖沙谈论起了工作。

"你的工作做得怎么样？组织建立了吗？你的朋友都是些工人子弟，你要把他们发动起来，尽快建立一个共产主义青年小组。然后把青年召集到剧院里，开个大会。我要把师政治部的乌斯季诺维奇同志介绍给你认识。她也是做青年工作的。"

丽达·乌斯季诺维奇是个十八岁的姑娘，短短的头发，身着草绿色的新制服，腰里扎着皮带。谢廖沙从她那里学到了许多东西，她答应帮助他开展工作。

开会的那一天，剧院里挤满了唧唧喳喳的年轻人，他们都是看到海报之后跑来的，大部分是中小学生。他们并不是仅仅为开会而来，更多的是想看演出。

按议程安排，该谢廖沙发言了，可他怎么也讲不出话来，还是丽达出来帮着解了围，但台下仍是一片嘀咕声。只有米什卡表示拥护布尔什维克，他报名加入共青团。而药店老板的儿子奥库舍夫带着嘲讽的口气拒绝加入共青团。他的话引起一片哄笑。谢廖沙很生气。

这时，只见一位年轻的机枪手终于忍不住，站起来讲话了。他的眼睛像两块烧红了的火炭，气得浑身发抖，他深深地吸了一口气说："我叫伊万·扎尔基，从小就是孤儿，日子过得连狗都不如。跟你们这帮娇小姐、阔少爷比，完全不一样！

"苏维埃政权来了，红军收留了我，教我懂得做人的道理，使我成为布尔什维克，我是到死也不会变心的。知道为什么要进行斗争吗？是为了穷人，为了工人阶级的政权。你们哪里知道，就在这座城下，有两百位同志牺牲了，永远离开了我们……"他愤怒地朝台下喊道，"我们才不来求你们呢，要你们这号人有什么用！只配吃机枪子弹！"他气呼呼地跳下台，朝门口走去。

散会后，谢廖沙神情沮丧。

丽达安慰他说:"谢廖沙,我们的任务就是要不断把我们的思想、我们的口号灌输到每个人的头脑中去。列宁说过:如果我们不能吸引千百万劳苦大众参加斗争,我们就不会取得胜利。"

夜深了,谢廖沙送丽达回车站去。临别时,他紧紧地握住她的手,过了好一会儿才放开。丽达微微笑了一下。

从此,谢廖沙经常到停在车站上的那节师政治部的绿色客车车厢去。不知不觉地,他与丽达的关系亲近起来。每次离开车站,除了带回一捆捆宣传品和报纸之外,他还带回一种由于会面而产生的朦胧(méng lóng)的欢乐感。

有一次,夜已经深了,谢廖沙把丽达送回车站的师政治部工作人员宿舍。这时,他自己也莫名其妙,竟突然地说:"丽达同志,跟你在一起真高兴!每次跟你见面之后,我都觉得精神振奋,有使不完的劲,真想不停地工作下去。"

丽达站住了,她严肃地说:"你听我说,勃鲁扎克同志,咱们一言为定,往后你就别再做这类抒情诗了。我不喜欢这样。"

谢廖沙脸红了,他说:"我是把你当做知心朋友,才这样跟你说的,可你……丽达同志,往后我不会再说了!"

他匆匆地握了一下她的手,转身就走了。

此后一连几天,谢廖沙都没有在火车站上露面。伊格纳季耶娃每次叫他去,他都说工作忙,推托不去。不过,他确实也很忙。

一天,丽达到革命委员会来参加会议。她把谢廖沙拉到一边,心平气和地问:"你怎么啦?是小市民的自尊心发作了吧? 私人的事怎么能影响工作呢?同志,这可绝对不行!"

后来,谢廖沙和两名红军战士被派去征集干草。他们在村子里碰上了一伙富农匪帮,红军战士被打伤了,谢廖沙受了伤。

谢廖沙不愿意惊动家里的人,就在伊格纳季耶娃房间里养伤。当天晚上,丽达跑来看望他,她握住了谢廖沙的手。谢廖沙第一次感到她是那样的亲切,她的手握得是那样的紧。

一个炎热的中午,丽达陪伴伤愈后的谢廖沙来到水平如镜的湖边,透明的湖水清爽宜人。

"你上大路口去等一会儿,我到湖里洗个澡。"丽达用命令的口气说。

谢廖沙就在小桥旁边的一块石头上坐下来,脸朝着太阳。他背后响起了溅水声。

丽达洗完之后,两个人一边谈话,一边向树林深处走去。他们停了下来,准备休息一会儿。树林里静悄悄的。丽达在柔软的草地上躺下来,弯过一只胳膊枕在头下。她沉默了片刻,说:"谢廖沙,中央已经决定,动员四分之一的共青团员上前线,你知道吗?我估计,咱们在这儿不会待很久了。"

谢廖沙听她说着,从她的话里听出一种不寻常的音调来。

"谢廖沙,你到这儿来。"她轻轻地说。

他把身子挪到她跟前。

突然,她一下子紧紧搂住了他那长着淡黄色头发的头,热烈地吻着他的双唇。这对谢廖沙来说太突然了,他只知道丽达在吻他,除此之外,他什么也不知道了。

"谢廖沙,"她稍稍推开他那晕乎乎的头说,"我现在把自己交给你,是因为你充满青春活力,你的感情跟你的眼睛一样纯洁,还因为未来的日子可能夺去我们的生命。所以,趁我们还有这几个自由支配的时辰,我们要相爱。在我的生命里,你是我爱的第二个人……"

谢廖沙打断她的话，向她探过身去。他沉浸在幸福之中，克服着内心的羞涩，抓住了她的手……

丽达不久成了谢廖沙心爱的妻子。一股巨大的激情占据了他那颗渴望火热斗争的心。虽然他们相见的机会很少，但是屈指可数的三四次见面，都让他们心醉不已……

两个月后，秋天到了。大部队要撤离这个城市，谢廖沙也要上前线了。

宣传鼓动科的车厢已经挂到列车上，谢廖沙在离车厢十步远的地方抓住丽达的双肩。他感到就要失去一样无比珍贵的东西。他低声地说："再见，丽达，我亲爱的同志！我们还会见面的，你千万别忘了我。"

第二天早晨，小城和车站已经空荡荡了，最后一列火车的车头拉响了几声汽笛，好像是在向人们告别似的。留守小城的那个营，在车站后面铁路两侧布

成了警戒线。

机车库的工人们穿着油污的衬衫，用忧愁的眼光目送着红军战士们。谢廖沙满怀激情地喊道："我们还要回来的，同志们！"

第八章　英勇战斗

保尔·柯察金在祖国大地上南征北战已有一年了。他那被沉重的子弹带磨出血的皮肤已经长好，身体比以前更结实。他在艰难困苦的环境中已经长大成人了。

在这一年里，保尔经历了许多可怕的事情。他同成千上万名战士一样，虽然衣不蔽体，胸中却燃烧着永不熄灭的烈火。

保尔所在的第十二集团军的战线很长，几乎守卫着乌克兰整个北部的广大地区，抗击波兰白军的进一步推进。保尔的那个团正在卡扎京—乌曼支线上，据守着弗龙托夫卡车站附近的阵地。

现在，一场战役已酝(yùn)酿成熟。虽然第十二集团军损失了大量兵员，一部分人已经失散，在波兰军队的紧逼下，全军正在向基辅方向撤退。但是，红军正在部署一项重大的军事行动，准备给被胜利冲昏头脑的波兰白军以毁灭性的一击。

久经战斗考验的骑兵第一集团军各师，正从遥远的北高加索向乌克兰调动，第四、第六、第十一和第十四四个骑兵师，相继向乌曼地区运动，在离前线不远的后方集结。

那是一万六千五百名钢铁般的战士，是一万六千五百把战刀！

红军最高统帅部和西南战线指挥部尽最大努力，使这个作战计划不被敌人察觉。各战线的司令部都小心翼翼地掩蔽着这支庞大的骑兵部队的集结。

夜幕下的草原上，篝(gōu)火的红色火舌抖动着，褐色的烟柱盘旋着升到空中。篝火旁边，有几只军用饭盒埋在淡蓝色的炭灰里，年轻的战士们在火堆旁围成了一个半圆形。

保尔把马鞍搬到火堆跟前，坐在上面，然后打开那本厚厚的小书，放在膝盖上，开始为全班战友念书。

"同志们，这本书叫《牛虻》，我是从营政委那儿借来的。我读了很受感动。现在，我给大家念念。"

当团长普济列夫斯基和政委一道骑马悄悄走近篝火时，他看见十一对眼睛正一动不动地盯着那个念书的人。

普济列夫斯基回过头来，指着这群战士，对政委说："团里的侦察兵有一半在这儿，里面有四个共青团员，年纪还很轻，个个都是好战士。那个念书的，叫柯察金。那边还有一个，眼睛像小狼一样，他叫扎尔基。他俩是好朋友，不过暗地里却在较劲。以前柯察金是团里最好的侦察兵，可现在他碰上了厉害的对手。你看，他们现在正在做政治思想工作，不露声色，影响却很大。有人送给他们一个称号，叫'青年近卫军'。"

普济列夫斯基催着马向火堆走去。

战士们热烈地欢迎团长。政委没有下马，他还要到别的地方去。

普济列夫斯基对保尔说："接着念吧，我也听听。"

保尔念完了，望着篝火，沉思不语。大家沉默了好几分钟，牛虻的死使所有的人都受到了震动。

第二天，保尔侦察回来后，他找到克拉梅尔说："指导员，我想到骑兵第一集团军去，你看怎么样？他们往后准有许多轰轰烈烈的事要干，而咱们却老在这儿闲呆着。"

克拉梅尔一口拒绝了他的要求。

"你呀,什么都好,就是有点无政府主义,想干什么就干什么。党和共青团都是建立在铁的纪律上面的。党的利益高于一切。谁都不能想到哪儿就到哪儿,而应该是哪儿需要,就到哪儿去。"

保尔小声却十分坚决地对他说:"你说的全对。可我还是要到布琼尼的骑兵部队去,我是走定了。"

当第二天篝火点起的时候,已看不到保尔了。

一九二〇年六月五日,布琼尼骑兵第一集团军经过几次短促而激烈的战斗,突破了波兰第三和第四集团军结合部的防线,把堵截红军的白军骑兵旅打得落花流水。

波军司令部为了堵住这个缺口,急急忙忙拼凑了一支突击部队。但是骑兵第一集团军已经绕过敌军准备反攻的据点，出其不意地出现在敌军后方。敌军急忙派出科尔尼茨基将军的骑兵师，跟踪追击布琼尼骑兵第一集团军。

实际上，敌军的司令部也设在这里，于是骑兵第一集团军决定拿下日托米尔和别尔季切夫。六月七日拂晓，骑兵第四师就向日托米尔敌军集团司令部进发了。

保尔代替牺牲了的库利亚布卡，当上了骑兵连的头排兵。

战斗终于打响了。快到日托米尔的时候，骑兵摆开扇面似的队形，快马加鞭，冲了过去，一把把银色的马刀在阳光下闪闪发光。

马蹄下的大地飞快地向后奔驰，骑兵穿过郊区的花园，冲到了城中心。

"杀呀！"惊天动地的喊声在空中回荡。

惊慌失措的波军几乎来不及抵抗，就一下子土崩瓦解了。

　　保尔伏在马背上向前飞驰，和他并驾齐驱的是托普塔洛。

　　保尔亲眼看见这个剽悍(piāo hàn)的骑兵战士挥起马刀，砍倒了一个还没有来得及举枪瞄准的波兰兵。

　　突然，十字路口出现了一挺机枪，架在路中央，三个穿蓝军装、戴四角帽的波兰兵，弯着腰守在机枪旁边。还有一个波兰军官举起了手里的毛瑟枪。

　　这时，托普塔洛和保尔径直向机枪冲过去。军官朝保尔开了一枪，但是没有打中。军官被保尔的战马撞出去老远，仰面朝天地倒下去了。

　　就在这一刹那，机枪射击了。托普塔洛连人带马摔倒了。

　　保尔的战马竖起前蹄，猛地一蹿，越过死者的尸体，一直冲到正在射击的波兰兵跟前。

　　马刀在空中画了一个闪光的弧形，砍进一顶蓝色的四角军帽里。

这时候,骑兵连的大队人马像奔腾的山洪,涌向十字路口,几十把战刀在空中不停地挥舞着,左右砍杀。

保尔冲进监狱,打开了又高又大的牢门。他对牢房里的人喊道:"同志们,你们自由了! 我们是布琼尼的队伍,我们占领了这个城市。"

波兰白军在这座石头牢房里囚禁了五千多名布尔什维克,另外还关押了二千名红军政治工作人员。他们都得救了。对骑兵师的战士来说,这些比任何战利品,比任何胜仗都要宝贵。

有一个脸色黄得像柠檬的政治犯,欢天喜地地跑到保尔跟前。他是舍佩托夫卡一家印刷厂的排字工人,叫萨穆伊尔·列赫尔。

萨穆伊尔讲述着舍佩托夫卡发生的悲壮的流血事件。他的话像熔化了的铁水,一滴一滴地落在保尔的心头上。保尔听着萨穆伊尔的叙述,脸上蒙起一层灰暗的阴影。

　　"一天夜里，有个无耻的内奸出卖了我们。我们全部落入了宪兵队的魔爪里。有好些人你是认识的：瓦莉亚·勃鲁扎克，县城里的罗莎·格丽茨曼，她才十七岁，是个多好的姑娘啊。还有萨沙·本沙夫特，他是排字工。一共二十九个，其中有六个女的。大伙儿受尽了极其野蛮的折磨。瓦莉亚和罗莎第一天就被强奸了。那帮畜生，把她们折磨得半死，才拖回牢房。从那以后，罗莎说起胡话来，没过几天，就完全疯了。瓦莉亚·勃鲁扎克直到死都表现得很好。他们唱着《国际歌》走上了绞架，都死得像真正的战士。有三位同志的尸体被整整吊了三天，日夜还有匪兵在绞架旁边看守。"

　　萨穆伊尔沉默起来，呆滞(zhì)的目光凝视着远方。那三具尸体清晰地呈现在保尔眼前，保尔心中的怒火在熊熊燃烧。

在接下来的那些日子里，每天都有激烈的战斗。保尔，已经和集体融合在一起了。他和每个战士一样，脑子里只有"我们"：我们团、我们骑兵连、我们旅。

布琼尼的骑兵以排山倒海之势，不停顿地向前挺进，给敌人一个又一个沉重的打击，摧毁了波军的整个后方。他们像冲击峭壁的巨浪，冲上去，退回来，接着又杀声震天地冲上去。

无论是密布的铁丝网，还是守城部队的负隅(yú)顽抗，都没能挽救波军的溃败。六月二十七日早晨，布琼尼的骑兵队伍渡过斯卢奇河，冲进诺沃格勒—沃伦斯基城，并继续向科列茨镇方向追击溃逃的波军。

就在激烈的战斗中，保尔经历了一次令人惊喜的小小插曲。有一天，旅长派保尔到停在车站的铁甲列车上去送公文。在那里，他竟遇见了一个根本没

想到会碰见的人。

在列车头附近，保尔签完公文后正要走，在火车头旁边干活的一个人突然站直身子，转过脸来。就在这一瞬间，保尔好像被一阵风刮下来似的，跳下马来，高声喊道："阿尔焦姆，哥哥！"

满身油垢(gòu)的火车司机立即放下油壶，像大熊一样，抱住年轻的红军战士。

"保尔！小鬼！原来是你呀！"阿尔焦姆简直不敢相信自己的眼睛。

铁甲列车指挥员惊奇地看着这个场面，车上的炮兵战士也都笑了起来，大家都为兄弟俩在战场上相逢而高兴。

八月十九日，在利沃夫地区的一次战斗中，前面的几个骑兵连已经冲进了波军的散兵线。这时，一个骑兵从洼地的灌木丛中飞驰出来，向河岸冲去，一路上高喊着："师长牺牲了！"

保尔哆嗦了一下。列图诺夫，英勇

的师长,他竟牺牲了。一种疯狂的愤怒攫(jué)住了保尔的心。

他使劲用马刀背拍了一下已经十分疲惫、满嘴是血的战马,向正在厮杀的、人群最密的地方冲了过去。

"砍死这帮畜生!砍死他们!砍死这帮波兰贵族!他们杀死了列图诺夫。"盛怒之下,他扬起马刀,连看也不看,向一个穿绿军服的人劈下去。全连战士个个怒火中烧,誓为师长复仇,把一个排的波军全砍死了。

这时,波军的大炮向他们开火了。猛然间,一团绿火在保尔眼前闪了一下,接着耳边响起一声巨雷,烧红的铁片灼伤了他的头。保尔像一根稻草似的,被甩出马鞍,重重地摔在地上。

黑夜立刻吞噬(shì)了大地。

第九章　严峻考验

陆军医院的一间小屋里，见习医生尼娜·弗拉基米罗夫娜正翻看着她的笔记本，她用纤巧的字体记录下保尔的治疗情况：

一九二〇年八月二十六日

今天，从救护列车上送来一批重伤员。一个头部受重伤的红军战士被安置在靠窗的病床上。他只有十七岁，在他的行李袋里，找出了病历和几份证件。那是一个磨破的乌克兰共产主义青年团第九六七一号团证，他叫保尔·柯察金，入团时间是一九一九年；一张弄破的红军战士证；还有一件摘抄的团部嘉奖令，上面写着：对英勇完成侦察任务的红军战士柯察金予以嘉奖。此外，还有一张他亲笔写的条子：

如果我牺牲了，请同志们通知我的家属：舍佩托夫卡市铁路机车库钳工阿尔焦姆·柯察金。

他从八月十九日被弹片击伤以后，一直处于昏迷状态。明天阿纳托利·斯捷潘诺维奇医生给他做检查。

八月二十七日

柯察金的伤势很重，伤口很深。颅骨被打穿，头部右侧麻痹(bì)。右眼出血，眼睛肿胀。

医生打算摘除他的右眼，以免发炎。我劝他，只要有可能消肿，就先不做手术。他同意了。

他一直说胡话，折腾得很厉害，身

边必须经常有人护理。

我花了很多时间来陪伴他。他这样年轻。我一定要尽最大努力把他从死神手里夺过来。

八月三十日

柯察金还没有恢复知觉。他的病室里，都是重伤员。护理员弗罗霞寸步不离地守在保尔身旁。原来他们认识，多年前，他们在一起做工。她对保尔是多么体贴入微呀！但我觉得，他几乎活不成了。

九月二日

今天简直是我的节日。我负责的伤员柯察金恢复了知觉，他活过来了。

九月十四日

我第一次看见柯察金笑了。他笑得很动人。平时他很严肃，这和他的年龄很不相称。他恢复的速度惊人。我常看见弗罗霞坐在他的床边。她经常过分地夸奖我。昨天柯察金问我："大夫，您手上怎么紫一块青一块的?"

我没有告诉他,是他在昏迷中抓住我的手留下的伤痕。

九月十七日

柯察金换药的时候,那种非凡的毅力真叫我们这些医生吃惊。

一般人总要不断地呻吟,还会发脾气,可他一声不吭。在伤口上碘(diǎn)酒时,他身子挺得笔直。即使疼得失去知觉,他也从不哼一声。他这种顽强精神是从哪里来的?我真不明白。

九月二十六日

今天有两个姑娘来看柯察金。她们是冬妮亚和塔季亚娜。我知道长得很漂亮的是冬妮亚,因为柯察金说胡话时常说到她。

十月八日

柯察金可以在花园里散步了。他老问,何时可以出院。对他从不呻吟,我很好奇。问他原因,他说:"您读一读《牛

虬》就明白了。"

十月十四日

柯察金终于出院了。我们十分亲切地道别。他眼睛上的绷带已去掉，但前额还包扎着。一只眼失明了，但外表看不出来。和他这样好的同志分手，我十分难过。

临别时，柯察金带着忧虑的神情说："不如左眼瞎呢，现在我怎么打枪呀？"

这个坚强的青年一心想着上前线作战。

保尔出院之后，先住在冬妮亚寄宿的布拉诺夫斯基家里。

他想吸引冬妮亚参加社会活动。一次，他邀请冬妮亚参加共青团的会议，冬妮亚同意了。可她打扮得太漂亮，而且别出心裁，保尔无法带她去见衣着朴素的同志们。

他们发生了第一次冲突。冬妮亚生气地说："我从不喜欢跟别人一样，要是你不便带我去，我就不去好了。"

在俱乐部里，大家都穿着退色的旧衣服，惟独冬妮亚打扮得花枝招展。保尔觉得很不痛快。同志们把她看做外人，她却用轻蔑的目光看着大家。

货运码头的共青团书记潘克拉托夫，一个穿粗帆布衬衣的装卸工，不客气地问保尔："那位漂亮小姐不像是咱们的人，倒像资产阶级小姐，怎么能带她来？"

保尔受过伤的太阳穴顿时跳了起来。

"她是我的朋友，不是咱们的对头，要说穿戴吗，是有点问题，但不能单凭穿戴衡量人吧。"

他还想顶他两句，但他也知道潘克拉托夫说的正代表了大家的意见。于是，他把气撒到冬妮亚身上去了。这天 155

晚上以后,保尔痛苦地觉察到,他和冬妮亚牢固的友谊正在逐渐破裂。

以后的日子里,每一次见面和谈话,都使他们的关系逐渐疏远,双方都感到很不愉快。保尔对冬妮亚的庸俗的个人主义越发不能容忍了。他们都清楚,感情破裂已在所难免。

这一天,他们来到黄叶满地的公园里。站在陡岸上的栏杆旁,第聂伯河从下面滚滚流过,闪着灰暗的光芒,落日的余晖给特鲁哈诺夫岛涂上了一层金黄的色彩。

冬妮亚望着金黄色的余晖,忧伤地说:"难道咱们的友谊真的要像这落日,就这样完了吗?"

保尔凝视着她那美丽的眼睛,紧皱眉头,低声说:"冬妮亚,我原来是爱你的,即使是现在,我对你的爱还可以恢复,但你必须和我们站在一起。过去,为了你的眼睛,我从悬崖上跳下去,现在回想起来,真是惭愧。拿生命冒险不能只为了姑娘的眼睛,而应该是为伟大的事业。要是你认为我首先属于你,其次才属于党,那我绝不会成为你的好丈夫。因为我首先属于党,其次才属于你和其他亲人。"

冬妮亚悲伤地凝视着蓝色的河水,两眼噙(qín)满泪水。

保尔注视着她那熟悉的脸庞和栗色的浓发。冬妮亚曾经是那样可爱可亲,此刻,他对她的怜惜之情油然而生。他轻轻地把手放在她的肩膀上。

"把拖你后腿的东西统统扔掉,站到我们一边来吧。我们队伍里有许多优秀的姑娘,她们跟我们一起肩负着残酷斗争的全部重担,忍受着种种艰难困苦。也许你会说:我不愿意像她们一样,穿肮脏的军便服。虚荣心害了你啊。你有勇气爱上一个工人,却为何不爱工人阶级的理想?跟你分开,我很遗憾,我希望你留给我美好的印象。"

他不再说下去了。两人都默默地看着泛着最后一抹霞光的河水滚滚流向远方。

第二天,保尔看见布告,署名是省肃反委员会主席费奥多尔·朱赫来。他的心立即跳了起来。多么不容易啊,他终于又见到了朱赫来。相见时,两个人都很激动。朱赫来的一只胳膊被炮弹炸掉了。朱赫来决定安排保尔在肃反委员会工作。

保尔没能回家去看望亲人,因为舍佩托夫卡又被波兰白军占领了,那里是敌我双方战线的分界地带,现在正在进行停战谈判。保尔从此日夜都在肃反委员会执行各种任务。

这时,许多师团正从波兰前线调往南方。因为苏维埃共和国与波兰白军作战时,匪徒弗兰格尔却趁机从克里木半岛、他的巢穴里出来，逼近叶卡捷琳诺斯拉夫省。

既然与波兰进行着谈判，国家就把军队调到克里木半岛去捣毁这帮匪徒的最后巢穴。

满载士兵和装备的军用列车，经基辅开往南方。铁路肃反委员会的工作忙得不可开交。列车源源不断地开来，经常造成堵塞，铁路肃反委员会就是负责处理这种"堵塞"的机构。保尔经常头疼得像针扎一样，但是仍然坚持到站台上去。肃反委员会繁重的工作损害着保尔的神经。

一天，保尔突然在一节装满弹药箱的敞车上看见了谢廖沙·勃鲁扎克。谢廖沙从车上跳下来，扑到他身上。他紧紧抱住保尔，说："你这鬼家伙！我一下子就认出你来了。"

两个朋友分别之后，经历过很多事情，他们相互问长问短，直到车轮开始

159

转动,才把拥抱着的胳膊松开。

保尔目送着列车远去。他突然想起,谢廖沙还不知道他妹妹瓦莉亚已经牺牲了。谢廖沙一直没有回过故乡,而保尔也没料到会遇见到他,惊喜之下,竟忘记告诉他这件事。

保尔想,不知道也好,免得一路上难受。但保尔万万没有料到,这竟是他们最后一次见面。这时,站在车顶上的谢廖沙也没有想到,死神正在前面等着他。一个星期之后,谢廖沙第一次投入战斗,一颗流弹不幸击中了他。他牺牲在秋天的乌克兰原野上。

肃反委员会的工作一直十分紧张,保尔的健康状况开始恶化。伤后留下的头疼病经常发作,一次,他竟然失去了知觉。

朱赫来决定让保尔去团省委工作。在团省委分配工作时,保尔提出去铁路工厂担任不脱产的共青团书记。

就在这个时候，在一个风雨交加的秋夜，数万名红军战士在利托夫斯基半岛登岸了。机枪手伊万·扎尔基是这些子弟兵中的一个，他小心翼翼地把机枪顶在头上，在水中前进。

天刚蒙蒙亮，几千名红军战士越过层层障碍物，从正面猛冲上去。在红军先头部队中，扎尔基是最先冲上岸的战士之一。

空前激烈的血战开始了。匪军向红军战士猛扑过来。扎尔基的机枪不停地扫射着，大批敌人和马匹在枪林弹雨中纷纷倒下。

几百门大炮在轰鸣，成千颗炮弹发出刺耳的呼啸声。大地被炸得开了花，泥土翻到半空中，团团黑色的烟尘遮住了太阳。

红色的怒潮涌进了克里木。骑兵第一集团军的各师冲进克里木，杀得敌军失魂丧胆。

战役结束后,苏维埃共和国向英雄们颁发了金质的红旗勋章。共青团员伊万·扎尔基也荣获了这枚奖章。

与波兰的和约签订了。保尔的家乡舍佩托夫卡仍属于苏维埃乌克兰。

一九二〇年十二月的一个早晨,这是一个永远值得纪念的早晨,保尔终于回到了他思念已久的故乡。

当玛丽亚·雅科夫列夫娜看到朝思暮(mù)想的小儿子站在面前时,高兴得连话也说不出来了。她把自己瘦小的身体紧紧地贴在儿子的胸前,不停地吻着儿子的脸,流下了幸福的泪水。保尔也紧紧地拥抱母亲,看着她那因为忧愁和期待而消瘦了的、满是皱纹的脸。受尽苦难的母亲,此刻眼睛里闪现出幸福的光芒。

两三天后,阿尔焦姆也背着行军袋回到家。玛丽亚·雅科夫列夫娜喜笑颜开,别提有多高兴了。

兄弟俩经历了千辛万苦和严峻的考验后,都平安地回来了。

后来,阿尔焦姆又干起他的老本行,而保尔在家里只住了两星期又回到了基辅,因为那里的工作正在等着他。

共青团铁路区委员会的新书记,就是伊万·扎尔基。保尔见到他胸前的勋章,竟有一种说不出来的滋味,内心别提有多忌妒(jì du)了。而扎尔基把保尔当做老朋友,对他很友好。保尔对自己一闪而过的忌妒感到惭愧。

他们一起工作,配合得很好,成了知心朋友。在共青团省代表会议上,他俩都当选为省委委员。他们整天忙于工作,常常到深夜才回到宿舍。

党要实行新经济政策的消息传到了共青团省委。在学习和研讨政策提纲的会议上,大家产生了分歧(qí)。保尔不完全理解提纲的精神实质。

他遇到共产党员杜达尔科夫时，杜达尔科夫说："怎么回事？真的要让资本家东山再起？听说还要开商店，大做买卖。这倒好，打到最后，一切照旧。"

保尔虽然没有回答他，但疑虑却越来越重了。在不知不觉中，他站到了党的对立面，而且表现得十分激烈。他在团省委全会上的发言引起了激烈的争论。辩论达到了白热化的程度。保尔和他的反对派同伙的死硬立场在省委内部造成了一种令人窒息的气氛。

团省委书记阿基姆同丽达·乌斯季诺维奇一起找保尔等人谈心，想解决他们在思想认识上的问题，但毫无效果。保尔固执己见，他认为："新经济政策是对我们事业的背叛。我们过去进行斗争，可不是为了这个目的，工人不同意这么做。你们大概甘愿给资产阶级当奴才吧？"

164　　阿基姆顿时火冒三丈："保尔，你是在侮辱党，诽谤党。你得的是狂热病，你不想弄明白简单的道理。要是继续执行战时政策，我们就是葬送革命，就会给反革命分子以可乘之机，发动农民来反对我们。你不想理解这一点。既然你不打算用布尔什维克的方式来探讨和解决问题，反而以斗争相威胁，那我们只好奉陪了。"

谈话结束时，他俩已成了仇人。

在全区党员大会上，保尔以不容分辩的激烈言辞指责党背叛了革命事业。第二天，团省委召开紧急全会，决定将保尔和另外四名同志开除出省委会。不久，保尔被开除出区委会，被撤销了支部书记职务。有二十来个拥护保尔的人宣布退团。最后，保尔和他的同伴们被开除出团。

保尔一生中最黯(àn)淡无光的日子从此开始了。旧时的朋友、战友离他而去，他不得不强迫自己反思近日来的所作所为。

保尔的心情很压抑。他站在车站的天桥上，用无神的目光望着下面来来往往的机车和车辆，却好像什么都没看见。此时，他多么需要有个知心的朋友在身边。

这时，砖瓦厂的团支部书记奥列什尼科夫幸灾乐祸地对保尔说："你图个什么呢？……上前线打仗是你的事，他们却稳稳当当坐在家里享福，让犹太人发号施令……还把你开除了。"他不屑地冷笑了一声。

保尔用充满仇恨的目光瞪着他，终于控制不住，一把揪住他的衣领，喊道："你这个骨子里的富农!混蛋，我们城里被白军枪毙的布尔什维克，一多半都是犹太工人，你知不知道?你也是反对派一伙的?这帮混蛋都该枪毙了。"

奥列什尼科夫吓得没命似的跑开了。保尔恶狠狠地望着他的背影对自己说："瞧，都是些什么人赞成我们的观

点!"

"难道是我错了？"保尔不禁反复盘问自己。他突然痛恨起自己竟会有这样无耻的"支持者"。

不久，全市党团组织召开联席会议，会议将对党内斗争进行总结。省委决定：只要反对派承认并检讨自己的错误，党是会欢迎他们归队的。

朱赫来、扎尔基、丽达等人代表党热切地盼望着保尔·柯察金的醒悟。

在省委的报告之后，会议主席宣布由共青团里反对派的代表柯察金同志发言。

保尔看见几千双眼睛在注视他，宽敞的大厅和五个楼层都静悄悄地在盼望着。他太激动了，一时不知从何说起。坐在前排的丽达和肃反委员会主席朱赫来都用殷(yīn)切的目光望着保尔。朱赫来对保尔微微一笑，严峻的笑容中又包含着鼓励。

保尔以临战的姿态振作起全部的精神，响亮地说："同志们！我今天想讲一讲革命的烈火，它把我们点燃，使我们燃烧。我们的共和国靠这烈火取得了胜利。我们靠这烈火，用我们的鲜血，击溃并消灭了敌人的乌合之众。我们一起被这烈火席卷着，去经风雨，见世面，并且更新了大地。我们一起在我们伟大的、举世无双的、钢铁般的党的旗帜下进行了坚苦卓绝的战斗。而现在，你们的战友——我们竟制造动乱来反对自己的阶级，反对自己的党，破坏党的钢铁纪律，犯下了滔天罪行。我们正是如此被党赶出自己的营垒(lěi)。

"我们经过革命烈火的考验，却走到了背叛革命的边缘？这事怎么发生的呢？我们过去所受的教育，只知道对资产阶级要怀有刻骨的仇恨，所以新的经济政策一来，我们便认为是反革命。其实党向新经济政策的过渡，是无产阶级同资产阶级斗争的一种新形式。所以，仅有对革命的忠心是不够的，还要善于理解大规模斗争中极其复杂的策略和战略。正面进攻并非任何时候都是正确的，有时这样的进攻恰恰是对革命事业的背叛。我们刚刚才弄明白这一点。我们为花言巧语所蒙蔽，加入了工人反对派，自以为是在为真正的革命进行正义的斗争……

"这些日子对我们来说是沉痛的。一方面，问题弄不明白，经常这样想：你这是在跟谁斗？另一方面，又把矛头指向自己的党。这确实非常痛苦。我回想起一次谈话，内心非常羞愧。当时，我对朱赫来同志说：'既然有人出卖革命，我们就要斗，必要的时候，不惜拿起武器。'朱赫来回答得很简单：'那我们就把你们当做反革命，抓起来枪毙。留神点，保尔，你已经站在最后一级台阶上。再跨出一步，你就到街垒那边去了。'我没有忘记他说的话。

"当我们这些死硬派被开除出组织的时候，我们每一个人都明白了，什么叫政治上的死亡。因为离开了党，我们没法生存下去。我们以工人的纯朴对党说：'请还给我们生命。'这几个月里，我们明白了我们的错误。离开了党就没有我们的生命。我们永远不会再离开无产阶级的行列。我们的一切——生命、家庭、个人幸福，都要献给我们伟大的党。过去的事件，将成为对我们坚定性的最后一次考验。

"我们的双手将和千万双手一起，明天就开始修复我们被毁的家园。让生活长在，同志们！我们会重新建设一个世界！胸中有强大动力的人，难道会战败吗？我们一定胜利！"

保尔哽(gěng)咽住了，浑身颤抖着。他那热烈的话语，使几千名听众的心激动起来。大厅里随即爆发出震耳欲聋的掌声,千百只手在挥舞,整个大厅在沸腾。

保尔看不清台阶,只觉得血在涌向头部。这时,一双手扶住了他,一个熟悉的声音说:"保夫鲁沙,朋友,同志!我们牢固的友谊再也不会破裂了。"

保尔头疼得差点儿要失去知觉,但他坚定地对扎尔基说:"我们要一起大踏步前进。"

他们的手紧紧地握在一起,他们明白是什么使他们紧密团结起来……

下 篇

第一章　激情岁月

已是午夜时分,丽达仍在台灯下写日记。她写道:团中央新委派的索洛缅(miǎn)卡区委书记扎尔基已经到任了。谢加尔要调到团中央工作,临走时,他把自己的得意学生保尔交给丽达,让丽达做他的指导员,希望丽达和保尔相互学习。

保尔与丽达见面是在火车站。那天,骄阳似火。保尔从天桥上看见了丽达。丽达穿着一件条纹衬衫,下面是蓝布短裙,一件柔软的皮夹克搭在肩膀上,蓬松的头发衬托着她那晒得黝黑的脸庞。今天,丽达代表省委去一个县里开会,保尔协助她工作。

火车站上全是人,保尔和丽达挤来挤去,却怎么也进不了站台。

保尔对车站的情况很熟悉,他领丽达从行李房进到站台,好不容易挤到了四号车厢前。车门前乱哄哄地拥着一堆人,一个满头大汗的肃反工作人员正拦住车门,人们发疯似的向他挤。每节车厢的门前都是这样,保尔知道,照常规办事是根本上不了车的。

他把自己的打算告诉了丽达:他先挤进车厢去,然后把她从窗口拉进去。

保尔拿过她的皮夹克穿上,又把手枪往夹克口袋里一插,故意让枪柄和枪穗露在外面。他走到车门跟前,毫不客气地分开旅客,一只手抓住了车门把手。

"喂,同志,往哪儿去?"

175

保尔回头看了看那个矮墩(dūn)墩的肃反工作人员。

"我是军区特勤部的。现在要检查一下，车上的人是不是都有五人小组发的乘车证。"保尔煞有介事地说，他不容许别人对他的权力有丝毫怀疑。

那个工作人员看了看他口袋里的手枪，让他上车了。

保尔用胳膊、肩膀，甚至拳头给自己开路，拼命往里挤，他遭到了数不清的咒骂，总算挤到了车厢的中间。

他一脚踩在一个胖女人的膝盖上，她骂起来："你这个该死的，臭脚丫子往哪儿伸呀！"这女人像个大肉球，勉勉强强挤在下铺的边缘上，两条腿中间还夹着一只装黄油的铁桶。各色各样的铁桶、箱子、口袋、筐子塞满了所有的铺位。车厢里闷得使人喘不过气来。

保尔没有理睬这个胖女人的咒骂，只是问她："您的乘车证呢，女公民？"

"什么？"她恶狠狠地反问了一句。

一个贼眉鼠眼的家伙从上铺探出头来，扯着粗嗓子喊："瓦西卡，这小子是个什么玩意儿？打发他滚远点儿！"

一个人应声在保尔的头顶上出现了。这小子又高又大，胸脯上全是毛，两只牛眼睛瞪着柯察金。

这些人显然是一帮合伙倒腾粮食的投机商，保尔没有工夫理睬他们，他得先把丽达接上车来。

在打开车窗时，保尔移动了一只木头箱子，被一个叫莫季卡的人在背上踢了一脚，还被他骂道："喂，快给我滚蛋，要不我就揍死你。"

保尔忍着没有做声。他咬紧嘴唇，打开车窗，探出身子，抓住车窗下面丽达的手，一使劲把她拉进了车厢内。

周围顿时响起一片辱骂声。上铺那个粗嗓门骂道："瞧，这个混蛋，自己爬进来不算，还弄进来一个婊子！"

177

另一个尖嗓子叫道："莫季卡,照准他鼻梁使劲揍!"

周围全是充满敌意的不三不四的人。保尔向莫季卡说:"公民,把你的口袋从过道上挪开。"那个家伙不但不动弹,反而骂了一句非常下流的话,气得保尔火冒三丈。他右眉上边的伤疤像针扎一样剧烈地疼痛起来。他压住怒火,对那个流氓说:"下流坏子,你等着,回头我跟你算账!"

就在这个时候,上面又有人在保尔头上踢了一脚。保尔憋了好久的怒火,再也按捺不住了:"你们这帮坏蛋、奸商,竟敢欺负人?"

保尔像一根弹簧似的,两手一撑,蹿到中铺上,抡起拳头,朝莫季卡那张蛮横无耻的脸猛力打去。这一拳真有劲,那个家伙一下子就栽了下去,跌落在过道里的人们的头上。

"你们这帮混蛋,统统给我滚下去。

不然的话，我就要你们的狗命！"保尔用手枪指着上铺那四个人的鼻子，怒冲冲地吼着。

丽达也密切地注视着周围所有的人，要是有谁敢碰保尔，她就准备开枪。这样一来，局面完全改变了。上铺马上腾出来了，那个贼眉鼠眼的家伙慌忙躲到隔壁的铺位上去。

保尔把丽达安置在空出来的位子上，低声对她说："你在这儿坐着，我跟他们算账去。"

丽达不放心地拦住他，问："你要去打架？"

"不打架，我马上就回来。"他安慰她说。

保尔从窗户跳到站台上。他跨进铁路肃反委员会，走到他的老首长布尔梅斯捷尔的办公桌前。

布尔梅斯捷尔听保尔说完情况后，下令让四号车厢的全体旅客下车，检查证件。

检查完毕，保尔又回到丽达的车厢。这时，车里的乘客都是出差的干部和红军战士了。投机倒把商人都被赶下了车。

丽达和保尔挤在一个小铺位上，跟邻铺之间隔着一捆捆的报纸。他俩一边兴致勃勃地谈论刚才这个令人不大愉快的插曲，一边狼吞虎咽地嚼着面包和苹果。夜幕降临了，丽达非常疲乏，就把头枕在旅行袋上打起盹(dǔn)儿来。保尔也很累，但是没有地方可以躺下。突然车身一震，丽达被惊醒了，她看见保尔在抽烟，心想：他会一直这样坐到天亮的，看样子，他是不愿意挤我，怕我难为情。

"柯察金同志！请阁下把资产阶级那套繁文缛(rù)节扔掉吧！来，躺下休息休息。"她开玩笑说。

保尔在她身边躺下来，非常舒服地

伸直了两条发麻的腿。

"明天咱们还有很多工作要做,睡吧,你这个爱打架的家伙。"她坦然地用胳膊抱住她的朋友,保尔感到她的头发挨着了他的脸。

在保尔的心目中,丽达是神圣不可侵犯的。他们为同一目标而奋斗,她是他的战友和同志,是他政治上的指导者。不过,她毕竟是一个女人,她的拥抱使他心情很激动。他感觉到她那均匀的呼吸,她的嘴唇就在很近的地方。这使他产生了要找到那双嘴唇的强烈愿望,不过他还是用顽强的毅力,把这种愿望克制住了。

丽达似乎感觉到保尔感情上的变化,在暗中微笑了。她已经尝过爱情的欢乐和失去爱情的痛苦。她先后把她的爱情献给两个布尔什维克,可是,敌人的子弹却把那两个人从她手中夺走了:一个是英勇的、身材魁梧的旅长,另一个就是生着一对明亮的蓝眼睛的谢廖沙。

想着想着,他们都在车轮有节奏的震动声中沉沉入睡了。

不久后的一天中午,丽达打电话给保尔,说晚上有空,让他去继续学习专题:巴黎公社失败的原因。

晚上,保尔来到丽达的房间,推门进去。

丽达的床上,躺着一个穿军装的男人。丽达紧紧地拥抱着他,他们正兴高采烈地谈着话。

听到脚步声,丽达喜气洋洋地朝保尔转过脸来。

"我叫达维德·乌斯季诺维奇。"军人没有等她介绍,就大大方方地报了姓名,同时紧紧地握住保尔的手。

握手时,有一种莫名的妒意在保尔的眼里闪了一下,他看见达维德袖子上戴着四个方形组成的军衔(xián)标志。

丽达正想说什么,柯察金抢先说:"我是来告诉你一声的,我要上码头去卸木柴,你别等我了……恰巧你这儿又有客人。我走啦,同志们还在楼下等着呢。"说完,保尔迅疾地推开门,跑出去了。

"他今天有点儿反常。"面对达维德疑惑的目光,丽达这样说。

跑了一会儿,保尔停住脚步。他倚靠在天桥的栏杆上,思潮起伏,不由得责问自己:"柯察金同志,为什么你一发现丽达屋里有男人就那样痛苦?你不是一向认为,你们之间除了志同道合之外,并没有任何别的东西吗?再说,要是他不是她的丈夫呢?你无缘无故就给人难堪,岂不是太荒唐了吗?"

这样想着,一直到天色很晚,保尔才回家去。

在索洛缅卡铁路工人区成立公社

的那天,丽达给保尔打来电话:"今天晚上我没事情,你来吧。那天,我哥哥路过这儿,顺便来看看我,我们已两年没见面了。"

原来是她的哥哥!

保尔没有听清丽达又说了些什么,但他决定跟丽达说清楚。爱情给他带来了许多烦恼和痛苦,而且现在谈情说爱也不是时候。

两人见面后,保尔盯着丽达的眼睛,说:"我早就想告诉你,你讲的东西,我不大明白。我跟谢加尔学习的时候,脑子里什么都记得住,跟你学习就怎么也不行。每次在你这儿学完,我还得找托卡列夫补课。我的脑袋不好使,你还是另找一个聪明点儿的学生吧。"

他避开她那注视的目光,固执地补充说:"所以,咱们就别再浪费时间了。"

他站起来,低头看了看她那变得越来越苍白的脸,坚决地说:"再见了,丽达同志!这么多天没跟你说明,实在抱歉,这是我的过错。"

保尔突然这样冷漠,使丽达十分惊愕(è),她说:"保尔,我不怪你。既然我过去做的不合你的意,没能使你了解我,那么今天发生这种情况,就该怨我自己。"

保尔迈着铅一样沉重的脚步走出了房间,悄悄地掩上了门。其实,他并不想这么说的。可是,他又能说些什么呢?

奥尔利克匪帮一直不停地破坏着城市的安宁,虽然他们人数不多,但破坏性较大。这时,被红军赶到波兰境内的佩特留拉残匪,紧密勾结驻华沙的一些外国使团,正准备组织一次暴动。

佩特留拉残部已秘密地成立了一支突击队。这个组织的头子是瓦西里神甫、温尼克准尉和一个姓库济缅科的佩特留拉军官。神甫的两个女儿、温尼克的弟弟和父亲以及钻进该市执行委员会当了办事员的萨莫特亚负责刺探情报。

他们计划在夜里发动暴乱,用手榴弹炸毁边防特勤处,放出犯人,如果可能,就占领火车站。

已调到军区特勤部的朱赫来已经一连六夜没有合眼了,他是掌握全部情况的五名布尔什维克中的一个。朱赫来现在正像一个死死盯住即将扑来的猛兽的猎人。朱赫来决定在暴动分子动手之前行动。

一支三百名战士组成的部队在集结待命。

朱赫来一声令下:"出发!"

三百个人在空荡荡的街道上行进。走到荒凉街对面的利沃夫大街,队伍停了下来,就在这里开始了行动。

剿匪指挥部设立在一家商店的台阶上。队伍在指挥部的指挥下,一声不响地包围了敌人集结的整个地段。

阴谋分子的司令部最先受到打击。第一批俘虏和缴获的文件马上送到军区特勤部。

根据肃反委员会掌握的情报,荒凉街的秋贝特家里藏有波多拉区反革命活动军官名单。在搜查他家时,市卫戍司令扬·利特克中弹身亡。

部队连夜进行了搜查。几百个没报户口、证件可疑、藏有武器的人被押到肃反委员会,在那里由审查委员会进行甄(zhēn)审。

这天夜里,索洛缅卡大队损失了五个人,肃反委员会牺牲了一个老布尔什维克,他就是共和国的忠实保卫者扬·利特克。

暴动被制止了。

同一天夜里,在舍佩托夫卡逮捕了瓦西里神甫、他的两个女儿以及他们的全部同伙。

一场风暴平息了。

然而，新的敌人又在威胁着这个城市——铁路运输眼看要瘫痪，饥饿和寒冷接踵而来。

现在，一切都取决于粮食和木柴。

第二章　雪地英雄

省委书记的办公室里，烟雾缭绕。严寒来临了，城市供暖用的木柴成了这次会议讨论的重点问题。但是，铁路林业委员会主席切尔温斯基在会上百般狡辩，企图推卸责任。

朱赫来一边思考，一边从嘴里取下烟斗，随即在笔记本上写道：

我认为，应当对这个人做更深入的审查，他不是工作能力低的问题。我已经掌握了他的一些材料……不必再同他谈下去,让他滚开,咱们好干正事。

省委书记读完这段话,向朱赫来点了点头。

朱赫来走到外屋去打电话。他回来的时候,省委书记已经念到决议的结尾:"……鉴于铁路林业委员会领导人公然消极怠(dài)工,故撤销其职务……"

切尔温斯基离开后,朱赫来走到会议桌前。

"你们看,"朱赫来用手指按着摊开的地图说,"这是博亚尔卡车站,离车站七俄里是伐木场。这儿堆积着二十一万立方米木柴。一支劳动大军在这儿干了八个月,付出了巨大的劳动,结果呢——咱们被出卖了,铁路和城市还是得不到燃料。木柴要从六俄里以外的地方运到车站来。这就需要至少五千辆大

191

车,整整运输一个月,而且每天要运两趟。最近的一个村庄在十五俄里以外,而且奥尔利克匪帮就在这一带活动。按照计划,伐木应该从这儿开始,然后向车站方向推进,可是这帮坏蛋反而把伐木队往森林里引。他们的算盘打得倒挺如意:这样一来,咱们就不能把伐倒的木头运到铁路沿线。事实上也是这样,咱们连一百辆大车也弄不到。他们就是这样整咱们的!这一招跟搞暴动没有什么两样。"

朱赫来的拳头沉重地落在地图上。

在座的十三个人心里都十分清楚,冬天已经到了,但医院、学校、机关和几十万居民只能听任严寒的摆布。车站挤满了人,像一窝蚂蚁,而火车却只能每星期开一次。

大家陷入了沉思。

朱赫来接着说:"同志们,只有一条出路,就是在三个月的期限内,从车站到伐木场修一条轻便铁路，全长是七俄里。要争取在一个半月之内，把铁路修到伐木场的边缘。完成这项工程，需要三百五十个工人和两个工程师。两个星期轮换一次，时间长了受不了。我们可以把共青团员调上去，只有这样才能拯救铁路和全城。他们一定会完成任务的。"

会议结束以后，立即开始了组织人力去修轻便铁路的动员工作。

索洛缅卡区的团组织几乎都派出去做工作，团省委委员——杜巴瓦、潘克拉托夫和柯察金三人也去了。这三个人是朱赫来同志亲自选中的，可见这项工程是多么的重要。

由共青团员组成的筑路队伍很快就要出发了。

在送别工程总领队托卡列夫时，丽达紧紧地握住老人的手，轻声说："祝你们成功！"然后她又像是无意地问："怎么,难道保尔不跟你们一起去吗?他怎么不在这儿呢?"

"他昨天就坐轧道车走了,跟技术指导员打前站去了。"

闻此言,丽达的脸上露出了失望的神情。

简陋的小车站孤独地掩隐在树林里。一条新修的路基从车站的石头货台伸向森林。路基周围是蚂蚁一样密集的人群,他们正来回奔忙着。

路基两旁的人们用力挖着土,黏泥在靴子底下扑哧扑哧直响,铁器碰在石头上,发出沉重的撞击声。

雨像用筛子筛过的一样,又细又密,下个不停。冰冷的雨水渗进了衣服,湿透了的衣服又重又冷。但是,穿着这又重又冷的衣服的人们一直要干到天黑透了,才能离开工地。

修筑的路基一天比一天延长,不断

194

伸向密林深处。

筑路工程队以坚忍不拔的毅力经受着各种艰难困苦。

情况越来越严峻。铁路管理局送来通知说,枕木用完了,城里也找不到车辆,不能把铁轨和小火车头运到工地上来。第一批筑路人员眼看就要到期,可是接班的人员还没有着落;现有的人员已经筋疲力尽,要把他们留下来再干,是不可能的。

保尔的靴底已烂得掉下来,一个养路工的妻子为他拿来一只高统套鞋和一块亚麻布。保尔用布包好脚,烤得热乎乎的,穿上了暖和的套鞋。他非常感激养路工的妻子对他的关心。

托卡列夫从城里回来,窝着一肚子火。他把积极分子召集到霍利亚瓦的房间里,向他们讲述了一些令人不快的消息。

老人对屋里的人说:"情况糟透了。到

现在换班的人还没凑齐,能派来多少也不知道。转眼就要上大冻。上冻前,豁(huò)出命来也要把路铺过那片洼地,不然,以后用牙啃也啃不动。城里那帮捣鬼的家伙,会有人收拾他们的。咱们呢,要在这儿加油干,快干。哪怕脱五层皮,也要修好这条铁路。要不,咱们还叫什么布尔什维克呢?只能算草包。"托卡列夫的声音铿锵(kēng qiāng)有力,说明他已下决心干到底。

"非党非团的同志,明天早晨就可以回去,党团员都留下。这是团省委的决议。"说着,托卡列夫将一张折成四叠的纸交给了潘克拉托夫。

在旁边的保尔看见纸上写的是:

团省委认为,全体共青团员应继续留在工地,待第一批木柴运出以后方能换班。

共青团省委书记丽达·乌斯季诺维

奇(代签)

接着,在破漏的棚子里举行了党团员大会。托卡列夫介绍了一些情况,他最后说:"明天,党团员都不能回去。"话音刚落,会场上顿时响起一片吵嚷声。有人气呼呼地说太疲劳了,但大多数人沉默不语。只有一个人声明要离队,他连喊带骂,从角落里发出忿(fèn)忿不平的声音:"去他妈的!我一天也不在这儿待了!罚犯人做苦工,那是因为他们犯了罪。可凭什么罚我们?我可只有一条命。我明天就走。"

说这话的是省粮食委员会会计的儿子。

"谁说党给的任务是苦工?"潘克拉托夫严峻地扫视着周围的人群,"弟兄们,咱们的岗位就在这儿。要是咱们从这儿溜走,很多人就得冻死。当逃兵,像这个可怜虫想的那样,是咱们的思想和

197

咱们的纪律所不容许的。"

刚才那个人又说:"那么,非党非团的可以走吗?"

"可以。"潘克拉托夫斩钉截铁地说。

只见那个家伙向桌上扔出一张小卡片,说:"这是我的团证,收回去吧,我可不为一张硬纸片卖命!"他的后半句话立即被全场爆发出来的叱(chì)骂声淹没了。

扔团证的那个家伙低着头朝门口挤去。大家像躲避瘟(wēn)神一样闪向两旁,放他过去。他一走出去,门就呀的一声关上了。

潘克拉托夫抓起扔下的团证,伸到小油灯的火苗上。卡片烧着了。

这时,森林里响了一枪。人们从板棚里跑出来。只见一张胶合板上写着:

滚出车站!从哪里来的,滚回哪里去。谁敢赖着不走,就叫他脑袋开花。我们要把你们斩尽杀绝，对谁也不留情。限明天晚上以前滚蛋。

下面的署名是：大头目切斯诺克。切斯诺克是奥尔利克匪帮里的人物。

一日午饭时分，城里开来一辆轧道车。朱赫来和阿基姆走下车来。车上卸下一挺马克沁(qìn)机枪、几箱机枪子弹和二十枝步枪。

托卡列夫很激动地对朱赫来一行人说："这个地方条件这样差，人力和设备又这样少，按期完工是不可能的。但只要我们还有一个人在，就一定完成任务。我们在这儿挖土已经快两个月了，可是基本成员一直没换过班，完全靠青春的活力支持着。这些人当中，有一半人受了寒。看着这些小伙子，真叫人心疼。他们是无价之宝。有些人连命也会断送在这个鬼地方，而且不止一两个人。"

从车站起，已经有一公里铁路修好了。

朱赫来望着飞舞的铁锹，望着弯腰紧张劳动的人群，低声对阿基姆说："群众大会用不着开了，这儿谁也不需要进一步动员。托卡列夫，你说得对，这些人是无价之宝。钢铁就是这样炼成的！"

朱赫来看着这些挖土的人，眼神里充满了喜悦、疼爱和自豪。就在不久以前，在那次反革命叛乱的前夜，他们当中的一部分人，曾经扛起钢枪，投入战斗。现在，他们要把钢铁动脉铺到堆放着大量木柴的宝地去，全城的人都在急切地盼望着这些木柴给他们带来温暖和生命。

全面考察了工地以后，朱赫来在车站的电话机旁待了很长时间。霍利亚瓦在门口警卫，他听见朱赫来粗声粗气地说："马上给军区参谋长挂个电话，请他立刻把普济列夫斯基那个团调到筑路工地这一带来。一定要把这个地区的匪徒肃清。另外,再从部队派一列装甲车和几名爆破手来炸平这里的小山包。"

朱赫来又说:"从现在起,筑路队要按战时状态组织起来。所有党员编成一个特勤中队,中队长由杜巴瓦同志担任。六个筑路小队都接受固定的任务。全部工程必须在一月一日以前结束。提前完成任务的小队可以回城休息。另外,省执行委员会主席团还要向全乌克兰中央执行委员会呈报,给这个小队最优秀的工人颁发红旗勋章。"

接着,朱赫来向大家宣布了各队负责人名单:第一队是潘克拉托夫同志,第二队是杜巴瓦同志,第三队是霍穆托夫同志,第四队是拉古京同志,第五队是柯察金同志,第六队是奥库涅夫同志。

朱赫来一行要上轧道车了。在同保尔道别的时候,朱赫来望着他那只灌满

201

雪的套鞋,低声对他说:"我给你捎双靴子来,你的脚还没冻坏吧?"

"好像是冻坏了,已经肿起来了。"保尔说到这里,抓住朱赫来的袖子,央求说:"我跟你要过几发手枪子弹,现在你能给我吗?我这儿能用的只有三发了。"

朱赫来抱歉地摇了摇头。但是他看到保尔一脸失望的神情,就毅然决然地将自己的毛瑟枪送给了保尔。

朱赫来走后,工地上展开了激烈的竞赛。

离天亮还很早,保尔就悄悄地起来了。他艰难地迈着在泥地里冻僵了的双脚,独自来到厨房。他烧开了一桶沏茶水,才回去叫醒他那个小队的队员。

等到其他各队的人醒来时,天已经亮了。其他几队的同志们都激动起来,要和保尔的那个队挑战。

快到中午了,柯察金小队正干得热

火朝天,突然一声枪响,打断了他们的工作。那是哨兵发现树林里来了一队骑兵,于是便鸣枪示警。

等骑兵们跑近一看,才知道原来是普济列夫斯基团的一个排,前来探望筑路人员。

排长的坐骑少一只耳朵,这引起了保尔的注意。保尔跑到它跟前,一把抓住笼头绳,马吓得直往后退。

"小斑秃,你这个淘气鬼,想不到在这儿碰见你!你没让子弹打死啊,我的缺只耳朵的美人。"原来这是保尔在布琼尼骑兵部队时的坐骑。

他亲切地搂住马的细长脖子,抚摸着它那翕(xī)动的鼻子。排长仔细地端详着保尔,一下子认出来了,他惊奇地喊道:"啊,这不是保尔吗!你认出马来了,老朋友谢列达反倒不认识啦。你好,兄弟!"

城里各部门都积极地行动起来,全力支援筑路工程。一批批人员不断来到博亚尔卡,铁路专科学校的六十名学生也来了。

朱赫来设法让铁路管理局调拨四节客车到博亚尔卡,给新到的工人住宿。筑路工作进展也较顺利。

暴风雪突然袭来了。灰色的阴云低低地压在地面上,移动着,布满整个天空。大雪纷纷飘落下来。晚上,又刮起了大风。暴风雪咆哮不止,猖狂了一夜。车站上那间破房子虽然通宵生着火,大家还是从里到外都冻透了。

第二天清晨上工,雪深得使人迈不开步,柯察金的小队在清除自己地段上的积雪。直到这时,保尔才体会到,严寒造成的痛苦是多么难以忍受。他身上的那件旧上衣一点也不保暖,脚上那只旧套鞋老往里灌雪,好几次掉在雪里找不到。另一只靴子也随时有掉底的危险。

由于睡在水泥地上，他脖子上长了两个大痈(yōng)疮。托卡列夫把自己的毛巾送给他做了围巾。

瘦骨嶙峋(lín xún)的保尔两眼熬得通红，他猛烈地挥动大木锨(xiān)铲雪。

这时，一列客车爬进车站，有气无力的火车头勉勉强强把它拖到了这里。煤水车上一块木柴也没有，炉里的余火也快要熄灭了。火车上的乘务员向托卡列夫要木柴。

"要木柴可以，但是不能白给。要知道，这是我们的建筑材料。现在工地让雪封住了。车上有六七百个乘客。妇女、小孩可以留在车里，其他人都得拿起锨来铲雪，干到晚上，就给你们木柴。要是不愿意干，那就让他们等到新年再说。"托卡列夫对乘务员们说。

随后，火车上下来不少人。

托卡列夫走到保尔跟前，对他说：

"给你一百人,分配他们干活儿吧。看着点儿,别叫他们偷懒。"

保尔给这些下来的乘客派了活。有一个高个子男人,穿着皮领子的铁路制服大衣,戴着羔皮帽,正跟旁边的一个青年妇女说话。那青年妇女戴着一顶海狗皮帽,顶上还有个绒球。

他愤愤地转动着手里的木锹,大发牢骚:"我才不铲雪呢,谁也没有权力强迫我。要是请我这个铁路工程师指挥一下倒还可以,铲雪吗,你我都没有这个义务,规章上没有这么一条。那个老头子违法乱纪,我要告他。"

保尔走上前去,问:"公民,您为什么不干活儿?"

那个男人轻蔑地把保尔从头到脚打量了一番。

"您是什么人?"

"我是工人。"

"那我跟您没什么可谈的。把工长   207

给我叫来。"

保尔皱起眉头，白了他一眼，说："不想干拉倒。火车票上没我们的签字，您就别想上车。这是工程队长的命令。"

"您呢，女公民，也拒绝干活儿吗？"保尔转过身来问那个女人。刹那间，他呆住了：站在他面前的竟是冬妮亚·图曼诺娃。

冬妮亚好不容易才认出这个像叫花子的人是保尔。一身破烂不堪的衣服，两只稀奇古怪的鞋子，脖子上围着一条脏毛巾，脸好久没有洗了——保尔就这副模样站在她面前。只有那一双眼睛，还同从前一样，炯(jiǒng)炯发光。这正是他的眼睛。就是这个像流浪汉一样衣衫褴褛(lán lǚ)的小伙子，不久以前还是她热恋的人。

冬妮亚最近结了婚，现在同丈夫一起到一个大城市去。她丈夫在那里的铁路管理局担任重要职务。她想不到竟会在这种情况下遇见少年时代的恋人。她甚至没好意思同他握手。

冬妮亚犹豫不决地站着，窘得双颊通红。那个铁路工程师气疯了，一个穷小子竟敢目不转睛地盯着他的妻子，他觉得实在太放肆了。他把锹往地下一扔，走到冬妮亚跟前，说："咱们走，冬妮亚。这个拉查隆尼真叫人受不了，我实在看不下去了。"

保尔读过《朱泽培·加里波第》这部小说，知道意大利语拉查隆尼是穷光蛋的意思。

"如果我是拉查隆尼，那你就是还没断气的资本家。"他粗声粗气地回敬了工程师一句，然后把目光转向冬妮亚，一字一句冷冷地说，"图曼诺娃同志，把锹拿起来，站到队伍里去吧。别学这个胖水牛的样。"

保尔看着冬妮亚那双长统套靴，冷笑了一下，又说："我劝你们还是别留在这儿，前两天土匪还光顾过呢。"

他转过身，拖着那只套鞋，啪哒啪哒地回自己人那里去了。

最后这句话对工程师起了作用。冬妮亚终于说服了他一起去铲雪。

傍晚收工之后，人们都向车站走去。冬妮亚的丈夫抢在前面，到火车上去占位子。冬妮亚停下来等保尔。

等他过来，冬妮亚和他并排走着，说："你好，保夫鲁沙！我没想到你会弄成这个样子。难道你不能在政府里搞到一个比挖土强一点儿的差事吗？我还以为你早就当上了委员，或者委员一类的首长呢。你的生活怎么这样不顺心哪……"

保尔站住了，用惊奇的眼光打量着冬妮亚。

"我也没想到你会变得这么……酸臭。"保尔想了想，才找到了这个比较温和的字眼。

冬妮亚的脸一下子红到了耳根。

"你还是这么粗鲁！"

保尔把木锨往肩上一扛，迈开大步向前走去。走了几步，他才回答说："说句不客气的话，图曼诺娃同志，我的粗鲁比起您的彬彬有礼来，要好得多。我的生活用不着担心，一切都正常。但是您的生活，却比我原来想像的还要糟。两年前您还好一些，还敢跟一个工人握手。可现在呢，您浑身都是臭樟脑丸味儿。说实在的，我跟您已经没什么可谈的了。再见。"

克拉维切克带着他亲手烤的一批面包从城里回来了。他在工地上找到了保尔，他俩亲热地互相问好。接着，克拉维切克笑嘻嘻地从麻袋里拿出一件瑞典精制的黄面毛皮短大衣，说："这是给你的。小伙子，你可真傻呀！这是丽达同志让我带来的，怕把你这个傻瓜冻死。

她听阿基姆说过，你穿着单衣在冰天雪地里干活。"

保尔惊异地拿起这件珍贵的礼物，过了一会儿，才穿在冻得冰凉的身上。柔软的毛皮很快就使他的后背和前胸感到了温暖。

此时，丽达在日记里写道：

省党委和我们都收到了博亚尔卡的来电：为了回答匪徒的袭击，我们，所有参加今天群众大会的轻便铁路的建设者，同"保卫苏维埃政权号"装甲列车和骑兵团的全体指战员一起，向你们保证，我们将克服一切困难，在一月一日以前把木柴运到城里。我们决心全力以赴，完成任务。派遣我们的共产党万岁！大会主席柯察金。书记员别尔津。

日夜盼望的木柴已经近在眼前了，但是筑路进度十分缓慢，突然流行的伤寒每天都要夺去几十条鲜活的生命。

　　有一天，保尔两腿发软，像喝醉酒似的摇摇晃晃地走回车站。他已经发烧好几天了，今天热度比哪天都高。吮(shǔn)吸工程队血液的肠伤寒也正向保尔发起进攻。但是他那健壮的身体在抵抗着，接连五天，他都努力打起精神，奋力从铺着干草的水泥地上爬起来，和大家一起上工。他身上穿着暖和的皮大衣，冻坏的双脚穿上了朱赫来送给他的毡靴，可是这些东西对他也无济于事。

　　保尔每走一步，都像有什么东西在猛刺他的胸部，他浑身发冷，上下牙直打架，两眼昏黑，树木像走马灯一样围着他打转。

　　他终于失去了平衡。他模模糊糊地感觉到头碰在地上，积雪冰着他那灼(zhuó)热的面颊，怪舒服的。

　　几小时以后，才有人发现倒在冰天

全日制义务教育学生必读书系·钢铁是怎样炼成的

雪地里的保尔。人们把他抬到板棚里。保尔呼吸困难，已经认不得周围的人了。从装甲车上请来的医生说，他是肠伤寒，并发大叶性肺炎，体温四十一度五。关节炎和脖子上的痈疮，就不值一提了，都算是小病。肺炎加伤寒足以把他送到另一个世界。

潘克拉托夫和刚回来的杜巴瓦要尽一切可能抢救保尔，他们把不省人事的保尔送上了火车。

霍利亚瓦用转轮手枪指着那些不让病人上车的人的鼻子，喊道："这个病人不传染！就是把你们全撵下车，也得让他走！你们这帮自私自利的家伙，记住，我马上通知沿线各站，要是谁敢动他一根毫毛，就把你们全都撵下车，扣起来。阿廖沙，这是保尔的毛瑟枪，给你拿着。谁敢动他，你就照准谁开枪。"霍利亚瓦最后又威胁地加上了这么一句。

霍利亚瓦给沿线各站做肃反工作

的同志打电话,恳切地请求他们不要让乘客把柯察金弄下来,直到每个同志都回答"一定办到"之后,他才去睡觉。

　　在一个铁路枢纽站的站台上,从一列客车的车厢里抬出来一个淡黄色头发的青年的尸体。他是谁,怎么死的——谁也不知道。站上的肃反工作人员想起霍利亚瓦的嘱托,赶忙跑到车厢跟前阻止,但是看到这个青年确实已经死了,就叫人把尸体抬到了停尸房。

　　他们立刻打电话到博亚尔卡通知霍利亚瓦,说他让他们关照的那个同志已经去世了。

　　博亚尔卡打了个简短的电报给省委,报告了保尔的死讯。

　　丽达闻讯,难过极了,她在日记上写道:

　　　我为什么这样难过呢?还没有拿起笔来,就哭了一场。谁能想到丽达会失

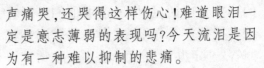

声痛哭,还哭得这样伤心!难道眼泪一定是意志薄弱的表现吗?今天流泪是因为有一种难以抑制的悲痛。

为什么悲痛会突然袭来呢?今天是大喜的日子,可怕的严寒已经被战胜,铁路各站堆满了宝贵的木柴。为什么悲痛恰恰在这个时刻降临呢?我们是取得了胜利,但是,有两个人为此献出了生命:克拉维切克和保尔。

保尔的死揭示了我内心的真情:对我来说,他比我原先所想的更珍贵。

日记就记到这里吧,不知道哪天再提起笔来接着写。明天写信到哈尔科夫去,告诉他们我同意到乌克兰共青团中央委员会去工作。

第三章　重返岗位

青春胜利了。伤寒没能夺走保尔的生命。这是保尔第四次跨过死亡的门槛(kǎn)，又回到了人间。

春天到来了，保尔准备回基辅去。临走前，他去看望哥哥阿尔焦姆一家。哥哥的婚事，母亲和保尔都不赞成。现在看到哥哥过着窝囊而没有指望的家庭生活，保尔心里很难过。

保尔走向空旷(kuàng)的广场，这里是瓦莉亚和她的同志被绞死的地方。他在原地默默地站了一会儿，便走向埋

217

葬烈士的墓地。不知道是哪个有心人，在坟墓周围摆上了用云杉枝编成的花圈，像给这块小小的墓地修了一道绿色的围墙。陡坡上挺拔的松树高高矗立，峡谷的斜坡上绿草如茵。

这里是小城的边缘，寂静而冷清。松林在低语，春天的大地在复苏，散发着潮湿的泥土气息。许多同志就是在这里英勇就义的。他们为了那些出身贫苦、落地便为奴的人们能过上美好的生活，献出了自己的生命。

保尔慢慢地摘下帽子，悲痛，巨大的悲痛，充满了他的心。

人最宝贵的是生命。生命每个人只有一次。人的一生应当这样度过：当他回首往事，不会因为虚度年华而悔恨，也不会因为卑鄙庸(yōng)俗而羞愧；临终时，他能够说："我的整个生命和全部精力，都献给了世界上最壮丽的事业——为解放全人类而斗争。"要抓紧时间赶快生活,因为一场莫名其妙的疾病,或者一个意外的悲惨事件,都会使生命中断。

保尔怀着这样的心情,离开了烈士墓。

家里,母亲在为儿子收拾出门的行装,她很难过。保尔看着妈妈,发现她在偷偷地流泪。

"保夫鲁沙,你别走啦,行吗?我岁数大了,孤零零的一个人过日子多难受啊。不管养多少孩子,一长大就都飞了。那个城市有什么可留恋的呢?这儿一样可以过日子嘛。唉!你们什么也不跟我这个老太婆说。总要等你们生病了,受伤了,我才能见到你们。"妈妈一边低声诉说着,一边把儿子的几件简单衣物装到一个干净的布袋里。

保尔抱住母亲的肩膀,把她拉到自己怀里。

为了安慰母亲,保尔拉起了手风

琴。他低下头，俯在那排珠母做的琴键上，奏出的新鲜音调使母亲感到惊奇。

他的演奏和过去不一样了。不再有那种轻飘大胆的旋律和豪放不羁(jī)的花腔，也不再有曾使这个青年手风琴手闻名全城的、令人如痴如醉的奔放情调。现在他奏得更和谐了，比过去深沉多了，但仍然有力量。

之后，保尔独自到了车站。他劝母亲留在家里，免得她在送别的时候又伤心流泪。

到了基辅，保尔首先去了军区特勤部。值班的警卫队长告诉他，朱赫来已经不在本市了，他两个月以前调到塔什干去了。保尔非常失望。

保尔走在大街上。大街上的喧嚷和繁忙，多少减轻了他因为朱赫来的离去而产生的惆怅(chóu chàng)。此时此刻，除了朱赫来之外，他最想看望的不就是丽达吗？于是他去找丽达。

房门打开了,保尔扫了一眼房内陌生的陈设就什么都明白了,不过他还是问了一句:"我找乌斯季诺维奇,她在吗?"

"她不在这儿,一月份就到哈尔科夫去了。听说她又从哈尔科夫到了莫斯科。"

"那么,阿基姆同志还住在这儿吧?他也搬走了吗?"

"阿基姆同志也搬走了。他现在是敖德萨省团委书记。"

保尔无可奈何,只好转身走了。回到这个城市的喜悦心情变得暗淡了。保尔已经走得精疲力竭,总算到了潘克拉托夫家门口。他暗暗下了决心:要是他也不在,我就不再走了,干脆钻到小船底下睡一宿。

正在吃饭的潘克拉托夫见到进来的保尔,一下子愣住了,眨着眼睛说:"啊!……等一等……呸!你真会胡闹!"

保尔看见潘克拉托夫紧张得满脸通红，忍不住哈哈大笑起来。

"是你，保尔！我们还以为你死了呢！……等一等，你到底是谁？"

潘克拉托夫的母亲和姐姐听到他的喊声，从隔壁房间跑了过来。他们三人终于认出站在面前的确实是保尔。

第二天，保尔去了团省委。团省委还跟从前一样热闹，大门总也关不上。走廊上，房间里，人来人往，办公室里不断传出啪嗒啪嗒的打字声。

保尔办好了恢复团籍的手续，正要离去，他碰上了索洛缅卡区的区委书记奥库涅夫一行人。大家见了面，又惊又喜，问长问短。过了几分钟，又进来一群青年，其中有一个是奥莉加·尤列涅娃。她简直有点儿不知所措了，惊喜地握住保尔的手，久久不放。后来的人又逼着保尔把他的情况从头到尾说了一遍。同志们出自内心的喜悦、真挚的友谊，与保尔热烈地握手，亲切而有力地拍肩打背。

奥库涅夫把保尔带到自己的住处。他倾其所有来款待保尔，然后又拿出一堆报纸和两本厚厚的共青团区委会会议记录，放在保尔面前，说："这些东西你看看吧。你在家养病，耽误了不少时间。翻翻这些东西，了解一下过去和现在的情况。我晚上回来，咱们一起到俱乐部去。累了，你就躺下睡一会儿。"

晚上，他们来到了俱乐部，屋里是一群铁路上的共青团员，塔莉亚·拉古京娜和安娜·博哈特跟他们挤在一起。安娜对面的椅子上坐着机车库团支部书记沃伦采夫。他旁边是铁路工厂团委常委茨韦塔耶夫，一个长着栗色头发、嘴唇线条分明的漂亮青年，正懒洋洋地用胳膊肘挂在钢琴盖上。

开会了，奥库涅夫把手里的铃摇得震天响，连那些最爱说话的人也赶紧闭

223

上了嘴。

"同志们,有一位同志要求在讨论当前团的任务以前,先说几句话,我和区委书记托卡列夫都同意了,认为应该让他发言。"

会场里响起了赞成的喊声,于是奥库涅夫宣布:"现在请保尔·柯察金发言!"大厅里一百人当中,至少有八十人认识保尔,所以当大家熟悉的这个面色苍白的高个子青年出现在舞台上,并且准备讲话时,会场里立即响起了热烈的掌声和欢呼声。

保尔的声音是平和的,却掩盖不住他内心的激动。

"朋友们,我又回到你们中间来了,又回到自己的战斗岗位上来了。回到这里,我感到非常幸福。我在这里看到了许多老朋友。奥库涅夫给我看了一些材料,咱们索洛缅卡区增加了三分之一的新团员,铁路工厂和机车库再也没有人做打火机之类的私活了，已经报废的机车又从废铁堆里拖了出来，进行彻底修理。这些都表明，我们的国家正在复兴，正在强大起来。生活在这个世界上是大有可为的。你们说，在这样的时候，我怎么能死呢!"说到这里，保尔脸上现出了幸福的笑容，两眼放射出炯炯的光芒。

保尔开始工作了。他被安排在铁路工厂工作，当电工的助手。保尔同奥库涅夫争论了好久，奥库涅夫才同意他暂时不担任领导工作。

对于保尔的回厂，茨韦塔耶夫确实是怀有戒心的。他认为保尔一回来，一定会跟他争夺领导权，于是这个自命不凡的人就准备着进行反击。但是没过几天，他就认识到自己估计错了。当保尔听说厂团委打算叫他参加团委工作的时候，他立即跑到书记办公室，摆出他和奥库涅夫达成的"协议"，说服茨韦塔耶夫把这个问题从议事日程上撤销。在车间团支部，保尔也只负责领导一个政治学习小组，并没有想在支委会担任什么工作。尽管保尔表示不参加领导工作，但他对工厂团组织工作的影响还是能够显示出来。有好几次，他都以同志的态度，不声不响地帮助茨韦塔耶夫摆脱了困境。

有一次，茨韦塔耶夫走进电工车间，不禁吃了一惊。这个支部的全体团员和三十几个非团青年正在擦洗窗户和机器，刮去多年积在上面的污垢，往外清除废物和垃圾。保尔正用一个大拖布使劲擦着满是油污的水泥地面。

这些电气工人并不满足于清扫车间，他们又动手收拾院子。这个大院子很久以来一直是堆垃圾的地方，成千上万吨钢铁就放在露天里生锈、腐烂。他们利用休息时间清理了所有的零件杂物。一星期后，当总工程师斯特里日来到这里时,整个车间已经焕然一新。

每天晚上,保尔都到公共图书馆去,待到很晚才走。他把梯子靠在高大的书橱上,一连几小时坐在上面,一本一本翻阅着,寻找有意思的和有用的图书。这里有马克思的《资本论》和杰克·伦敦的《铁蹄》。那本《斯巴达克》,他花了两个晚上的时间把它读完,又把它放到另一个书橱里,同高尔基的作品摆在一起。

一天,中修车间团支部委员科斯季卡·菲金,一个麻脸、翘鼻子、动作迟缓的小伙子,在给铁板钻孔的时候,弄坏了一个贵重的美国钻头。造成事故的原因是他极端的不负责任,甚至可以说是故意破坏。中修车间工长霍多罗夫批评了菲金。霍多罗夫这个人往往对别人要求过严,有时近于吹毛求疵(cī),在车间里大家都不喜欢他。他以前是个孟什维克,现在什么社会活动也不参加,对

共青团员总是侧目而视。但是他精通业务，对本职工作认真负责。当他发现菲金没有往钻头上注油，钻头在那里"干钻"时，就大发脾气。

"你瞎了，还是昨天才来干活儿的？"他大声责问菲金。他知道这样干下去，钻头非坏不可。

但是，菲金反倒骂了工长一顿，又开动了钻床。霍多罗夫只好到车间主任那里去告状。车间主任打了一份报告，要求把菲金开除出厂。团支部袒(tǎn)护菲金，说这是霍多罗夫打击青年积极分子。车间领导还是坚持要开除他，于是这件事就提到了工厂的团委会上讨论。事情就这样闹开了。

团委会的五个委员，有三个主张给菲金申斥处分，并调动他的工作。茨韦塔耶夫是这三个委员中的一个。另外两个委员干脆认为菲金没有错。

一贯独断专行的茨韦塔耶夫主持

会议。这是一次内部会议。当保尔要求参加会议时，茨韦塔耶夫说："保尔，你知道，团委内部会议只有团委委员才能参加，人多了不便于讨论。不过你既然来了，就坐下吧。"

保尔第一次受到这样的侮辱。他的两道眉毛中间现出了一条深深的皱纹。

保尔听了大约十分钟，已经了解了团委对菲金事件的态度。快要进行表决的时候，他要求发言。茨韦塔耶夫勉强同意了。

出乎大家的意料，保尔的声音竟是那样严厉。他从口袋里掏出一个记事本，说道："菲金事件仅仅是一个信号，主要的问题并不在他身上。昨天我搜集了一些数字，请大家注意听一听：百分之二十三的共青团员每天上班迟到五分钟到十五分钟。这已经成了常规。百分之十七的共青团员每月照例旷工一天到两天，但是团外青年旷工的却只有百分之十四。

我顺便还记了另外一些数字：党员每月旷工一天的有百分之四，迟到的也是百分之四。非党员成年工人每月旷工一天的占百分之十一，迟到的占百分之十三。损坏工具的有百分之九十是青年工人，其中刚参加工作的是百分之七。从这里可以看出，咱们团员干活远远不如党员和成年工人……老工人说得很直率：从前我们给老板干活，给资本家干活，干得还要好些，认真些。现在呢，成了主人，却不像个主人的样子。这过错主要不在菲金或是别的什么人身上，而在咱们这些人身上，因为咱们不仅没有同这种不良倾向进行坚决的斗争，相反，却常常寻找各种借口，袒护像菲金那样的人。"

最后，保尔坚决地说："我建议把菲金作为懒惰（duò）成性、工作不负责任、破坏生产的人从共青团里开除出去。要把他的事情登在墙报上，同时，把上面那些数字写在社论里，公布出去，不要怕任何议论。我们是有力量的，我们是有后盾的。共青团的基本群众是优秀的工人，他们当中有六十个人在博亚尔卡筑路工地经受过锻炼，那是一次最好的考验。有他们参加和帮助，我们一定能够消除落后现象。"

保尔一向沉静，不爱讲话，这一席话却说得激烈而尖锐。

茨韦塔耶夫初次看到保尔的本色，他意识到保尔是正确的。但此时，他认为保尔的发言是针对团组织的全盘工作提出了尖锐的批评，是在破坏他的威信。所以，他指责保尔，头一条就是偏袒孟什维克霍多罗夫。

激烈的辩论持续了三个小时。其他人都同意保尔的意见，茨韦塔耶夫失去了多数人的支持。这时，他竟采取压制民主的错误行动，在最后表决之前，要保尔离开会场。

保尔气愤地开门走了,去找托卡列夫。老钳工用心地听着保尔讲了情况。他首先肯定保尔的看法是正确的,其次对保尔提出了批评,他说:"你的身体逐渐好了,应该马上把工作好好抓起来。站在一边,不伸手就能把事情办好,哪有这样的事!再说,谁都会批评你是逃避责任。明天你就要纠正过来。"

党委同意了团委大多数人的意见,向党团员提出了重要而艰巨的任务——人人以身作则,模范地遵守劳动纪律。会上,茨韦塔耶夫受到了严厉的批评。开头他还挺着脖子,不肯认错,后来党委书记洛帕欣发了言,他才软下来,承认了错误。

菲金被开除了,团委会增加了一名新委员,由他负责政治教育工作。这个人就是保尔·柯察金。

会后,保尔和茨韦塔耶夫认真而真诚地交换了意见,初步达成了工作上的和解。

一个星期过去了。保尔向党组织递交了入党申请表。托卡列夫凝视了保尔几秒钟，然后默默地拿起钢笔。表格里有一栏要求填写介绍人的党龄。他用刚劲的笔迹在这一栏里填上了"一九〇三年"几个字，又在旁边一丝不苟地签上自己的名字。

"写好了，孩子。我相信你是永远不会叫我这个满头白发的老头子丢脸的。"

盛夏的一天，保尔去为波兰领事馆的外交专车修电灯。在那里，他遇到了列辛斯基的女儿——涅莉，她已是一位外交官的夫人。当保尔认出她后，竟出乎自己意料地用波兰话问她："维克托也在这儿吗？"

她用调侃的口气说："您为什么对维克托这么感兴趣呢？我记得，您和他并没有什么交情。"

"维克托有一笔债还没还,您见到他的时候请告诉他,我还指望讨回这笔债呢。"

"请问,他欠您多少钱,我来代他还。"

她十分清楚保尔要讨的是什么"债"。佩特留拉匪兵抓保尔的前后经过,她全知道,但是她想逗弄这个"下人"一番,才这样嘲讽他。

保尔故意不理睬她。涅莉继续怪里怪气地挑衅着说:

"要是你们夺取了华沙,你们会怎样对待我呢?把我剁成肉泥,还是拿我去当你们的小老婆呢?"

她站在门口,扭动着身子,做出妩媚的姿势;她那吸惯了可卡因的鼻子轻佻(tiāo)地翕动着。

这时,保尔已经修好了坏掉的灯,灯亮了,他挺直了身子,边收拾东西边说:"谁要你们?用不着我们的军刀,可卡因就会要你们的命。就你这样的，白给我当老婆，我还不要呢！"

他拿起工具箱，两步就迈到了门口。涅莉赶紧闪开，保尔到了走廊尽头，才听见她咬牙切齿地用波兰话骂了一声："该死的布尔什维克！"

一天晚上，安娜·博哈特来找保尔。

"保尔，你挺忙吗？愿不愿意跟我一起参加市苏维埃全体会议？两个人结伴走有意思些，可以说说话，而且要很晚才能回来呢。"

保尔答应了。他从桌子里取出勃朗宁手枪，放进口袋里，随后和安娜一道出发了。

散会后，保尔和安娜一起返回索洛缅卡。黑夜、荒凉的旷野和会上听到的波多拉区昨天发生的凶杀案，都使安娜感到恐惧，她紧紧地拉住保尔的手。但是保尔的镇定、他的烟卷头上的火光、被火光照亮的脸庞和他眉宇间刚毅的神情——这一切驱散了她的恐怖。

突然,后面传来急速的脚步声和喘气声,有人在追赶他们。

保尔急忙往回抽手,但是安娜吓慌了,仍然紧紧抓住不放。等到他终于使劲把手抽出来的时候,已经晚了:他的脖子被铁钳似的手掐住了。那人用一只手狠劲扭住他的衣领, 勒紧他的咽喉,另一只手拿手枪慢慢画了半个圆圈,对准了他的鼻子。

保尔用眼角一扫,看见了安娜惨白的脸。就在这时,另一个歹徒正把她往破房子里拽(zhuài)。歹徒扭着她的双手,把她摔倒在地上。安娜拼命地挣扎着,一顶帽子堵住了她的嘴,她的喊叫声停止了。抓着保尔的那个大脑袋歹徒,想得到的是安娜,他可不愿意做那种兽行的旁观者。他认为这个毛孩子对他不会有什么危险的, 于是就松开了

237

手。

"快滚!"他哑着嗓子低喝了一声。保尔连忙往后退,眼睛还盯着大脑袋。歹徒以为他是怕吃子弹,便回身朝那座房子走去。保尔马上把手伸进口袋,一个急转身,平举左臂,枪口刚一对准大脑袋歹徒,啪的就是一枪。歹徒懊悔已经来不及了。没等他抬起手来,一颗子弹已经打进了他的腰部。歹徒用手抓着墙,慢慢地瘫倒在地上。

这时,一条黑影从小房的墙洞里钻出来,保尔朝这黑影放了第二枪。接着,又有一条黑影弯着腰,连跑带跳地向拱道的暗处逃去。保尔又开了一枪。保尔朝黑影逃走的方向打了三枪,枪声惊动了宁静的黑夜。

安娜吓呆了。保尔从地上搀起她,然后将她送回住所。保尔要去卫戍司令部报案,安娜却不愿意保尔走,直到这个现在对她来说是那样可贵可亲的人在夜色中走出很远,才关上了门。

保尔到了卫戍司令部,死尸马上就被辨认出来:这是警察局里早就挂了号的强盗和杀人惯犯——大脑袋菲姆卡。

第二天,大家都知道了昨夜发生的事件。没料到这件事却使保尔和茨韦塔耶夫之间发生了一场意外的冲突。茨韦塔耶夫悄悄找到保尔,他压低声音问保尔,安娜有没有被强奸?

说这话时,茨韦塔耶夫一直不敢正视保尔,把目光移向一旁。

保尔模模糊糊地明白了他的意思。他替安娜感到受了侮辱。

"你爱安娜吗?"

一阵沉默。然后,茨韦塔耶夫挺费劲地说:"是的。"

保尔勉强压住怒火,一转身,头也不回地走了。

第四章　戍边战斗

秋讯时,河水泛滥,河道里有些木排被冲散了, 顺着河水往下漂去。眼看这些木头就要损失掉,索洛缅卡区派出共青团员去抢救这批珍贵的木材。

保尔当时正患重感冒,他瞒着大家去参加劳动。一个星期以后,冰冷的河水和秋天的潮湿诱发了潜伏在他血液里的敌人——他发高烧了。一连两个星期,急性风湿病折磨着他的身体,他从医院回到工厂以后,只能"趴"在工作台上干活。委员会认为保尔已经丧失劳动的能力，让他退职，并给他领取抚恤(xù)金的权利。但是保尔生气地拒绝领取抚恤金。

保尔怀着沉重的心情离开了心爱的工厂。他拄着手杖，忍着剧烈的疼痛，慢慢地挪动着脚步。母亲曾经多次来信叫他回家看看，现在他想起了妈妈，想起了她在送别时说的话："只有等你们生病了，受伤了，我才能见到你们。"

他从省委会领来两份组织关系证明书，一份是共青团的，一份是党的。他没有同任何人告别，就动身到母亲那里去了。一连两个星期，母亲又是用草药熏又是按摩，医治他那两条肿腿。一个月以后，他走路已经不用手杖了。保尔内心充满着喜悦，黄昏又变成了黎明。

列车把保尔送回了省城。三天以后，组织部给他开了一份介绍信到省军务部，由军务部分配他去担任地方武装的政治工作。

又过了一星期,他来到了冰天雪地的边境小镇——别列兹多夫,担任第二军训营的政委。共青团专区委员会还交给他一项任务:把分散的共青团员组织起来,在这个新区建立团组织。保尔的生活又掀开了新的一页。

别列兹多夫执委会主席尼古拉·尼古拉耶维奇·利西岑(cén)接到了一份紧急电报,上面写道:近发现波兰频繁派遣大批匪徒越境,似乎准备骚扰边境地区。希采取防范措施。财务科现款及贵重物品宜转移至专区。

利西岑紧急召见保尔,布置防范措施。

几个动荡不安的日子过去了。利西岑接到通报说,匪徒在红军骑兵的追击下,已被迫仓皇逃出国境线。

保尔工作的区是刚刚组建成的新区,一切都得从头做起。这一带是边境地区,他们时刻都必须保持高度警惕。

改选苏维埃、剿匪、开展文化活动、缉(jī)私、加强部队里的党团工作——所有这些,使利西岑、保尔以及团结在他们周围的为数不多的积极分子们,常常从清晨一直忙到深夜。

白天,保尔一跳下马,就走向办公桌;离开办公桌,就到训练新兵的广场上去;又要去俱乐部,又要去学校,还得参加两三个会议。夜里,他又骑上马,挎上毛瑟枪,去边防线上巡逻。保尔,第二军训营政委,他白天和大多数夜晚就是这样度过的。

别列兹多夫共青团区委会由三个人组成:保尔、莉达·波列维赫和任卡·拉兹瓦利欣。莉达是妇女部长,拉兹瓦利欣负责政治教育工作。

共青团的支部一个接一个地在边境各村建立起来了。团区委的干部为此付出了很多心血。保尔和莉达整天在这些村子里活动。

拉兹瓦利欣不愿意下乡,因为他得不到农村小伙子们的信任,还常常把事情搞糟。莉达和保尔平易近人,很自然地就和那些青年打成了一片。莉达把姑娘们团结在自己周围,不露声色地培养她们对共青团生活和工作的兴趣。全区的青年都认识保尔。第二军训营负责对一千六百名即将应征入伍的青年进行军事训练。在各村的晚会上,在大街上,手风琴对宣传工作的开展起到了前所未有的作用,手风琴使保尔同青年们成了一家人。

保尔的手风琴奏起欢快的进行曲,热烈而动人;奏起忧郁的乌克兰民歌,亲切而温柔。许多乌克兰农村青年就是在这迷人的琴声引导下,走上了共青团的道路。大家倾听着保尔的演奏,也倾听着这位工人出身的政委兼共青团书记的讲话。琴声和年轻政委的话语在他们的心中和谐地融合在一起。

德国的移民住在迈丹维拉一带的森林庄园里。这些富农的庄园彼此相距半公里，房子盖得很坚固，像一座座小小的堡垒。安托纽克匪帮就在迈丹维拉藏形匿迹。

安托纽克过去是沙皇军队里的司务长，后来搜罗一些亲友，拼凑了一个"七人帮"，在附近的大道上持枪抢劫。他们杀人不眨眼，既不轻饶投机商人，也不放过苏维埃政府的工作人员。安托纽克和另一个土匪头子戈尔季竞赛，他们两个一个比一个坏。专区警察局和国家政治保安部在他们身上费了不少时间。安托纽克就在别列兹多夫镇附近活动，因此，进城的道路都很不安全。这个匪首确实不容易捕获：风声一紧，他就溜到国境线外去躲避，过后又出其不意地回来作案。每当听到这个出没无常的害人虫又出来行凶作恶时，利西岑就烦躁得直咬嘴唇。

十一月底，一个阴雨的秋夜，安托纽克和他的"七人帮"受到了应有的惩罚。这伙匪徒在迈丹维拉一个富裕移民的家里参加婚礼，被赫罗林的党团员们擒获，落入了法网。

在战斗中，有四个战士献出了生命，其中三个是成立不久的赫罗林共青团支部的团员。

保尔的军训营奉命参加地方部队的秋季演习。他们冒着倾盆大雨到四十公里以外的一个师的营地去。一清早出发，深夜才到达，整整走了一天。这次行军，只有营长古谢夫和政委柯察金骑马。八百个即将应征入伍的青年一到营房，倒下就睡了。

第二天早晨，全营在操场上整好了队，他们要接受检阅。不久，师部来了几个骑马的人。当正式检阅完毕，军训营做完变换队形的表演之后，一个面孔漂亮但皮肉松弛(chí)的指挥员厉声问保尔:"您为什么骑马?我们普及军训部队的营级指挥员和政委不应该骑马。我命令您把马送回马棚去,徒步参加演习。"

保尔知道,自己的两条腿连一公里也走不了,不骑马就不能参加演习。这种情况对这位大喊大叫的花花公子该怎么说呢?

保尔明白,没有别的理由可以解释他为什么不能步行,只好低声地说:"我的两条腿全肿了,连走带跑一个星期,我实在做不到。"

"如果您是个残废,我可没叫您在部队里工作,这不能怪我。"

保尔好像挨了一鞭子,他猛地一抖缰绳,但古谢夫那只坚强有力的手阻止了他。保尔受到如此侮辱,忍不住要发作。于是,他告诫自己,他现在是营政治委员,全营战士就站在他身后,应当用自己的行动给全营树立服从军纪的榜

247

样;况且他担任部队的训练工作,不是为这个花花公子干的。想到这里,他离镫下马,忍着剧烈的关节疼痛,朝队伍的右翼走去。

演习快要结束了。这次演习的终点是舍佩托夫卡。别列兹多夫营奉命从克里缅托维奇村方面攻占车站。

保尔十分熟悉这一带的地形,他把所有的途径都告诉了古谢夫。全营分成两路,深入迂回,秘密地绕到"敌人"后面,然后出其不意地高喊"乌拉",冲进了车站。根据评判员的评定,这一仗打得非常漂亮。车站已经被别列兹多夫营占领,防守车站的那个营"损失"一半人员。

大家都祝贺古谢夫作战成功。

演习结束了。军训营以优异的成绩获得好评,返回别列兹多夫。可是保尔的身体却累垮了,于是他在母亲身边住了两天,得到了很好的休息。

保尔回到别列兹多夫时,已经是中

午了。莉达高兴地在区委会门口的台阶上迎接他。

不久，省委常委会决定调柯察金回去，担任更重要的共青团工作。

保尔告别了工作一年的别列兹多夫区。在区党委会议上，保尔·柯察金被批准转为共产党正式党员。

利西岑和莉达紧紧地握着保尔的手，亲切地拥抱他。当保尔骑着马从院子里出来，走到街上的时候，十几枝手枪齐放排枪，向他致敬，保尔恋恋不舍地离开了战友们。

第五章　路线斗争

基辅市党代会在歌剧院召开,出席这次大会的有四百多名党员代表。布尔什维克将与托洛茨基派进行一次面对面的较量。以杜巴瓦为首的托派分子不甘心在各区辩论中遭到的失败,他们把这次大会看做是最后的一次机会。

这时,在台上发言的是谢加连区的党代表塔莉亚,她在发言时从一沓(dá)信纸里抽出一张,信是团专区组织部长奥莉加·尤列涅娃写来的。塔莉亚开始读信:

251

日常工作停顿了,托洛茨基分子挑起了一场空前激烈的斗争。他们的言行引起了全专区党员的极大愤慨。反对派在市里任何一个支部都没有得到多数人的支持,于是就决定集中力量,在专区兵役局党支部发动进攻。这个支部包括专区计划部和工人教育部的党员,总共四十二个人。托洛茨基分子全都集中到了这里,参加这个支部的会议,并且发表了前所未闻的恶毒的反党言论。有人竟公然宣称:"为了健全肌体,有时就得动外科手术。如果党的机关不投降,我们就用武力摧毁它。"

反对派听了这样的话,居然还鼓掌。这时,保尔站了起来,发表了义正辞严的讲话。他揭露了胆敢在工人阶级政党头顶上挥舞马刀的反对派的真实嘴脸。

这时候,上来好几个人,抓住保尔,使劲往台下拽。保尔一边挣扎,一边继

续往下讲。那些人把他拖到后台，打开旁门，扔了出去。有一个坏蛋还把他的脸打出血来。那个支部的党员几乎全都退场了。这件事擦亮了许多人的眼睛，他们退出了反对派……

塔莉亚放下信纸，又激动地说下去："我们谢加连区的党团员听到保尔站在我们一边，非常高兴。"

接着，杜巴瓦要求发言。他走上主席台的时候，全场的人都静悄悄地等待着。这种讲话前的沉寂本来是会场上常有的现象，现在却使杜巴瓦感到了大家对他的冷淡和疏远。但他决心硬着头皮干到底。

杜巴瓦喋喋不休地散布着他们的言论，一直没有人答理他。大家都在等着，看杜巴瓦还会说些什么。直到杜巴瓦最后说道："我们再次声明，中央的政策将把国家引向毁灭。继续执行这个政策,要不了多久,财政和工业就会崩溃,农民就会给我们致命性的打击。除此之外,中央和你们这些支持中央的人在制造党的分裂……"

人们期待着托洛茨基分子承认自己的错误,但他们却沿着错误的道路越走越远。这时,大厅里犹如爆炸了一颗手榴弹,暴风雨般的怒吼声向杜巴瓦直扑过去。愤怒的叫喊如同皮鞭抽打在杜巴瓦脸上:

"可耻!"

"打倒分裂派!"

"不许血口喷人!"

杜巴瓦只得在一片嘲笑声中走下了讲台。

这时,后排传来了潘克拉托夫的男低音:"我来说几句!"

会场上安静下来,大家等待着潘克拉托夫的演说。

"同志们!我们进行激烈的辩论,今

255

天是第九天了。托洛茨基分子说，党中央和多数派把国家引向毁灭，而他们则是被派来的救世主。我要直截了当地说：他们的发言不像是我们的战友，不像是革命战士，不像是和我们共同斗争的阶级弟兄。他们的发言是充满敌意的、嚣(xiāo)张的、恶毒的和诽谤(fěi bàng)性的。他们把我们布尔什维克说成是党内专横制度的拥护者，说成是出卖阶级利益和革命利益的人。他们污蔑我们党内最优秀的、久经考验的、光荣的布尔什维克老战士。这场斗争表明，在我们的队伍中确实有这样一些人，他们随时准备破坏党的统一，践踏党的纪律，每当党遇到困难，他们就兴风作浪，瓦解党的组织。

"党内每一个布尔什维克都有机会发表自己的意见，提出改进工作的建议。剩下要做的，只是在统一的党的内部进行讨论，共同努力克服困难，把事业推向前进。"

潘克拉托夫喘了一口气，擦了擦前额上的汗珠，继续说："现在我们来看看反对派都是些什么人。反对派里有图夫塔、茨韦塔耶夫，还有阿法纳西耶夫这样一些人。图夫塔是因为官僚主义不久前被撤职的，茨韦塔耶夫那套'民主'在索洛缅卡区是出了名的，阿法纳西耶夫则因为在波多拉区搞强迫命令和压制民主三次被省委撤销职务。反对派一方面起劲地叫喊争取民主，一方面却网罗这样一批人，这岂非是咄(duō)咄怪事？

"对反对派来说，在国内战争中，无论是列宁，还是党，还是为苏维埃政权英勇战斗的千百万战士，都是不存在的。只存在一个人——托洛茨基。这也不是偶然的。但是，我们是亲身参加了斗争的见证人，我们知道谁是胜利的领袖，是党和党的领袖列宁，是我们光荣的布尔什维克中央委员会领导无产阶级战胜了敌人，是我们红军战斗员和指挥员战胜了敌人。这伟大的胜利是用劳动人民的儿女的鲜血换来的，而不是某个人取得的。"潘克拉托夫的话声调高昂，铿锵有力，他讲到这里，暂停了一下。

全场对他的讲话报以暴风雨般的掌声。这掌声是奔腾的洪流，汹涌澎湃，仿佛正在吞没堤岸。

杜巴瓦不止一次听到这洪流的咆哮。这些日子他参加支部会和区代表会议，总是被这洪流席卷而去。他领教过它的威力。过去，当他和大家并肩前进的时候，他的心、他的身子曾经是这不可阻挡的洪流中的一滴。如今他和他的一小撮同党却逆潮流而动，过去引起他内心共鸣的东西，如今向他猛扑过来，把他扔到了浅滩上。

"同反对派的斗争，使我们的队伍更加团结，使青年们在思想上更加坚强了。布尔什维克党和共青团在反对各种小资产阶级思潮的斗争中得到了锻炼。老布尔什维克是要有人接班的，但是，绝不能让一有风吹草动就向党的路线猖狂进攻的人来接替他们。我们绝不允许任何人破坏我们伟大的党的团结。老一代和青年一代近卫军永远不会分裂。正是在团结中才体现出我们的力量，我们的坚定性。同志们，前进，迎着困难，迈向我们的目标！我们在列宁的旗帜下，同各种小资产阶级思潮进行斗争，一定会取得胜利！"

潘克拉托夫走下讲台，全场向他报以热烈的掌声。会场上许多人站了起来，自发地唱起了无产阶级的庄严的《国际歌》。

一九二四年，在滴水成冰的严寒中来到了。整个一月份，冰雪覆盖着祖国大地，天气异常寒冷。中旬又刮起暴风，

259

大雪下个不停。

在舍佩托夫卡火车站的报务室里，三架莫尔斯电报机啪嗒啪嗒地响着，只有内行人才能听懂这不绝于耳的密语。

老报务员把电文反复看了三次，三十二年来，他第一次不敢相信亲手抄的电文：弗拉基米尔·伊里奇·列宁逝世。他从座位上跳了起来，他不敢相信的消息还是被这段两米长的纸条证实了！他把煞白的脸转向两个女同事。她们听到了他的惊叫："列宁逝世了！"

这个惊人的噩耗从敞开的房门溜出报务室，像狂风一样迅速地传遍了车站，冲到机车库那扇半开的大铁门里。

阿尔焦姆举起的锤子在空中停住了。

"同志们，列宁逝世了！"

锤子慢慢地从阿尔焦姆肩上滑下来，他轻轻地把它放在水泥地上。

发电厂和各辆机车都发出充满不

安的汽笛，以示哀悼。

在铁路俱乐部里，追悼大会开始了，首先讲话的是舍佩托夫卡专区党委书记、老布尔什维克沙拉布林。

"同志们！全世界无产阶级的领袖列宁逝世了。我们党遭受了无法弥补的损失……党和阶级的领袖的逝世应该是一种召唤，召唤无产阶级的优秀儿女加入我们的队伍……"

这时，哀乐奏响，在场的几百个人都脱下了帽子。十五年来没有掉过眼泪的阿尔焦姆突然感到喉咙哽住了，宽厚有力的肩膀也颤抖起来。

铁路俱乐部的四壁似乎要被参加会议的人群挤倒了。外面是刺骨的严寒，门旁的两棵云杉覆盖着冰雪，六百个人聚集在这里，参加党组织召开的追悼大会。

几百双眼睛流露出哀痛和不安。聚集在这里的好像是一群失去领航员的水手,他们那位久经考验的领航员被狂风巨浪卷走了。

党委会的委员们也默默地在主席台上坐下来。矮壮的西罗坚科小心地拿起铃,轻轻摇了一下,就放在桌子上。这已经够了。大厅里渐渐静下来,静得使人感到压抑。

报告完了以后,党委书记西罗坚科说:"三十七位工人同志署名写了一份申请书,请求大会予以讨论。"接着,他宣读了这份申请书:

西南铁路舍佩托夫卡站布尔什维克共产党组织:领袖的逝世号召我们加入布尔什维克的行列,我们请求在今天的大会上审查我们,并接受我们加入列宁的党。

在这段简短的文字下面是两排签名。

西罗坚科挨个往下念，每念一个就停几秒钟，好让到会的人记住这些熟悉的名字。

"波利托夫斯基，斯塔尼斯拉夫·济格蒙多维奇，火车司机，三十六年工龄。"

大厅里发出一片赞同声。

"柯察金，阿尔焦姆·安德列耶维奇，钳工，十七年工龄。"

"勃鲁扎克，扎哈尔·瓦西里耶维奇，火车司机，二十一年工龄。"

大厅里的声音越来越大了，西罗坚科继续往下念，大家听到的都是那些始终同钢铁和机油打交道的产业工人的名字。每个申请入党的人要自我介绍情况，轮到阿尔焦姆发言时，他先讲述了家庭情况，然后谈到入党动机："人人都会问我，为什么革命烈火刚烧起来的时候，我没有成为布尔什维克？对这个问题，我只能说，我是今天才找到自己的

263

这条路。我有什么可隐瞒的呢？以前就是没有看清路。早在一九一八年举行反德大罢工的时候，就应该走上这条路。有个水兵，叫朱赫来，跟我谈过不止一次。直到一九二〇年，我才拿起枪来战斗。后来战争结束了，白匪被扔进了黑海，我们就转回来了。我成了家，有了孩子，一头钻到家务事里去了。现在，我们的列宁同志逝世了，党向我们发出号召，我回头看看自己的生活，看清楚了我一生中缺少的是什么。单单保卫过自己的政权是不够的，我们应该一致动员起来，接替列宁，把苏维埃政权建设成铁打的江山。我们都应该成为布尔什维克——党是我们的党嘛！"

阿尔焦姆结束了自己朴实而又极其真诚的发言，他为自己那不寻常的措词感到有些不好意思，同时像从肩上卸下重担似的，挺直了身子，等待着大家的表决。

阿尔焦姆看见会场上举起很多手臂,他的心又哆嗦了一下。他感到浑身轻松,挺胸阔步向自己的座位走去。身后传来了西罗坚科的声音:"一致通过!"

　　讨论接收新党员的大会一直开到深夜。只有那些大家熟悉的、经过生活考验的、最优秀的分子,才被吸收入了党。

　　列宁的逝世促使几十万工人加入了布尔什维克党,领袖的去世没有造成党的队伍涣(huàn)散。一棵大树,它的巨大的根子深深地扎在土壤里,只削去它的顶端,大树是不会死去的。

第六章 战友重逢

全俄共青团代表大会开幕前夕，在团中央工作的丽达来到乌克兰代表团召开预备会议的音乐厅。丽达在乌克兰战斗和工作了多年，她很怀念这里的战友和朋友。

走进会场，丽达坐了下来。代表会议就要结束了。这时，主席正在讲话，这个人的声音她听起来很耳熟。

丽达认出主席是阿基姆，他正匆忙地念着代表名单。

每叫一个名字，就有一只手拿着代

表证举起来。

丽达聚精会神地听着。一个熟悉的名字传进了她的耳朵："潘克拉托夫。"

丽达急忙回头朝举手的地方看去，那里坐着一排排代表，却看不到码头工人那熟悉的面孔。名单念得很快，她又听到一个熟悉的名字——奥库涅夫，接着是——扎尔基。

丽达看见了扎尔基。他就坐在她的斜对面。已经不大能认出来了……是他，是伊万。丽达已经好几年没有见到他了。

名单迅速地往下念。突然，她听到一个名字，不由得哆嗦了一下："柯察金。"

前方很远的地方举起一只手，很快又放下了。丽达竟迫不及待地想看看那个和她的亡友同姓的人。她目不转睛地搜寻刚才那只手举起的地方，但是所有的头好像都一样。

丽达站起来，顺着靠墙的通道向前排走去。这时候，阿基姆已经念完了名单，代表们大声说起话来，青年人发出爽朗的笑声，开始散场了。阿基姆再次喊道："大家不要迟到！……大剧院，七点！……"

大厅门口人很拥挤。

丽达知道，她不可能在拥挤的人流中找到名单中念到的熟人。看来只有盯住阿基姆，再通过他找到其他人。

最后一批代表从她身边走过，丽达便向阿基姆走去。

突然，她听到身后有人说："柯察金，咱们也走吧，老弟。"

这时，一个那么熟悉、那么难忘的声音回答说："走吧。"

丽达急忙回过头来，只见面前站着一个高大而微黑的青年，身穿草绿色军便服和蓝色马裤，腰上系着一条高加索窄皮带。

丽达睁圆了眼睛看着他，直到一双手热情地抱住她，颤抖的声音轻轻地叫了一声"丽达"，她才明白，这真是保尔·柯察金。丽达的眼里充满了泪水。

"你还活着？"

原来她一直不知道他死去的消息是误传。

她仔细看着保尔。他现在比她高出半个头，还是从前的模样，只是更加英武，更加沉着了。

"你看，我还没问你在哪儿工作呢。"

"我现在是共青团专区委员会书记，或者像杜巴瓦所说的，当'机关老爷'了。"保尔微微笑着说。

他们走上了大街，向全俄团代表大会的会场走去。街上，汽车鸣着喇叭疾驰而过，喧闹的行人来来往往。他俩一直走到大剧院，路上几乎没有说话，心中却想着同一件事情。剧院周围人山人海,狂热而固执的人群一次又一次向剧院石砌的大厦拥过去,一心想冲进红军战士把守的入口。但是,铁面无私的卫兵只放代表进去。

丽达和保尔费了很大的劲,才挤到会场门口。

走进大厅,他们在角落里坐了下来。

"有一个问题,我想要你回答我。"丽达小声地说,"虽然事情已经过去很久,但是我想你会告诉我的:当初你为什么要中断咱们的学习和咱们的友谊呢?"

虽然保尔刚一跟她见面,就预料到她会提这个问题,但是现在他还是感到很尴尬(gān gà)。他们的目光相遇了,保尔看出:她是知道原因的。

"丽达,我想你是完全清楚的。这是三年前的事了,现在我只能责备当时的保尔。总的说来,保尔一生中犯过不少大大小小的错误,你现在问的就是其中的一个。"

丽达微微一笑,说:"这是一个很好的开场白。但是我想听到的是答案。"

保尔低声说下去:"这件事不能完全怪我,'牛虻'和他的革命浪漫主义也有责任。有一些书塑造了革命者的鲜明形象,他们英勇无畏,刚毅坚强,彻底献身于革命事业,给我留下了不可磨灭的印象,我产生了做这样的人的愿望。对你的感情,我就是照'牛虻'的方式处理的。我现在感到很可笑,不过更多的是遗憾。"

"这么说,现在你对'牛虻'的评价改变了?"

"不,丽达,基本上没有改变!我否定的只是毫无必要的以苦行考验意志的悲剧成分。'牛虻'的主要方面,我是肯定的。我赞成他的勇敢,他的非凡的毅力,赞成他能够忍受巨大的痛苦而不

271

在任何人面前流露。我赞成这种革命者的典型,对他来说,个人的一切同集体事业相比较,是微不足道的。"

"保尔,这番话三年以前就应该说了,可是你直到现在才说,只有使人感到遗憾了。"丽达面带笑容,若有所思地说。

"丽达,你说使人遗憾,是不是指我永远只能是你的同志,而不能成为更亲近的人呢?"

"不是,保尔,你本来是可以成为更亲近的人的。"

"那么还来得及补救吗?"

"有点晚了,牛虻同志。"

丽达微笑着说了这句笑话,接着她解释说:"我现在已经有了个小女孩。她有个父亲,是我的好朋友。我们三个生活得很和美,现在是三位一体,密不可分。"

她用手指轻轻触了一下保尔的手,

表示对他的关切。但是她马上就明白了，这个动作是多余的。这三年来，他不只是在体格方面成长了。丽达知道他此时很难过——这从他的眼睛里可以看出来。但是他诚挚地说："不管如何，我得到的东西比失去的东西还是多得多。"

大会要开始了，保尔和丽达站起来，朝乌克兰代表团座席走去。这时，乐队奏起了乐曲。巨大的横幅标语鲜红似火，闪光的大字"未来是属于我们的"似乎在燃烧、在呐喊。

在这无比庄严的时刻，全俄共青团中央委员会书记恰普林激动地宣布："全俄共产主义青年团第六次代表大会现在开幕。"

保尔从来没有这样鲜明、这样深刻地感受到革命的伟大和威力，他感到有一种难以言喻的骄傲和前所未有的喜悦。这是生活给他的，是生活把他这个战士和建设者送到这里来,参加这个布尔什维主义青年近卫军的胜利大会的。

大会每天从清晨开到深夜,占去了与会者的全部时间。保尔只是在最后一次会议上才又见到丽达。丽达对他说:"明天大会闭幕以后,我就要回去了。不知道临别的时候,还能不能再谈一次。所以我今天把过去的两本日记找出来,还写了一封短信,准备留给你。你看完以后,把日记寄还给我。这些东西会把我没向你说的事情全告诉你的。"

保尔握住她的手,目不转睛地看了她一会儿,好像要把她的面容永远刻在心里。

第二天,他们如约在大门口见面。丽达交给保尔一个包和一封封好的信。周围人很多,因此他们告别的时候很拘(jū)谨,保尔在她那湿润的眼睛里看到了深切的温情和淡淡的忧伤。

一天以后,列车载着他们朝不同的

275

方向驰去。

晚上，大家全睡了，保尔移近灯光，打开那封信：

保夫鲁沙，亲爱的！

这些话我本来可以当面告诉你，不过还是写下来更好些。我只有一个希望，那就是我和你在大会开幕那天谈的事，不要在你的生活里留下痛苦的回忆。我知道你很坚强，所以我相信你说的话。我对生活的看法并不太拘泥于形式。在私人关系上，有的时候，当然非常少见，如果确实出于不平常的、深沉的感情，是可以有例外的。你就可以得到这种例外，不过，我还是打消了偿还我们青春宿债的念头。我觉得，那样做不会给我们带来很大的愉快。保尔，你对自己不要那样苛(kē)刻。我们的生活里不仅有斗争，而且有美好感情带来的欢乐。

至于你生活的其他方面，就是说，对你生活的主要内容，我是完全放心的。紧握你的双手。

丽达

保尔沉思着。他把信撕成碎片，然后两手伸出窗外，任凭风把纸片吹走。

第二天早晨，保尔读完两本日记后，把它们包起捆好。到了哈尔科夫，他到车站邮局寄走了丽达的日记本，然后他探访了安娜等老朋友，便回到了自己的工作地。

一眨眼，两年过去了。时光一天天、一月月地流逝着，飞速前进而又丰富多彩的生活，每天都不一样。苏维埃这个伟大国家的一亿六千万伟大的人民，开天辟地以来第一次成为自己辽阔土地和无穷宝藏的主人，他们英勇地、紧张地劳动着，重建被战争破坏了的家园。

国家在日益巩固,在积聚力量。

这两年间,保尔抓紧时间学习,深夜还经常看到他的窗户亮着灯光。两年里,他学完了《资本论》第三卷,弄清了资本主义剥削的精巧结构。

入夏以后,朋友们一个个去休假了,身体不好的都去了海滨。一到这个时候,休养成为大家热切盼望的事。保尔忙着给同志们张罗疗养证,申请补助,打发他们去休息。他们留下的工作全压在保尔肩上,他全力以赴地工作着,像一匹不知疲倦的马拉着重载爬坡一样。保尔没有一天离开过他的岗位。

保尔不喜欢秋天和冬天,因为这两个季节给他身体上带来了很多痛苦。

今年,他特别焦急地盼望夏天快到。他知道,现在只有两条出路:要么承认自己经受不了紧张工作带来的种种困难,承认自己是个残废;要么坚守岗位,直到完全不能工作为止。他当然选择后一条。

有一回，专区党委常委会开会，专区卫生处长巴尔捷利克对他说："保尔，你的气色很不好。你得检查一下，星期四下午来吧。"

保尔有事脱不开身，可是巴尔捷利克并没有忘记他，亲自把他拉到医院。医生给保尔仔细检查了身体，医务委员会认为他必须立即停止工作，去克里木长期疗养，并进一步认真治疗，否则可能会发生严重的后果。

保尔了解到他的主要灾难不在腿上，而是中枢神经系统受到严重损伤。

巴尔捷利克把医务委员会的决定送交常委会批准，没有一个人反对立即解除保尔的工作。

再有三个星期，保尔就可以去度他一生中的第一次休假了。保尔的抽屉里放着到叶夫帕托里亚去的疗养证。

可就在这时，保尔遇到了一件十分

荒唐而可憎的事,这事完全出乎他的意料。

一天,保尔来到党委宣传鼓动部办公室,坐在书架后面敞开窗户的窗台上,等着开宣传工作会议。他进来的时候,办公室里没有人。过了一会儿,进来了几个人。保尔在书架后面,看不见他们,但是从说话声音里听出有法伊洛。法伊洛是专区国民经济处处长,高高的个子,一副军人派头,长得很漂亮。保尔不止一次听说他爱喝酒,见到漂亮的姑娘就纠缠。保尔从心底里讨厌法伊洛的所作所为。

他们几个人不知道保尔在书架后,放肆地谈着搞女人的下流行为,特别是法伊洛大讲怎么把与保尔同时调到这里来的、现任专区党委妇女部长科罗塔耶娃搞到手的经过,使保尔再也无法忍受了。

"畜生!"他大喝一声。

"你骂谁?偷听别人的谈话,你才是畜生!"法伊洛伸手揪住保尔的前襟(jīn),给了保尔一拳。他喝醉了。

保尔操起一张柞木凳子,一下子就把法伊洛打倒在地。幸亏保尔没有带枪,法伊洛才算捡了一条命。于是,在预定动身去克里木疗养的那天,保尔不得不出席党的法庭。

党组织的全体成员都来了。这件事引起与会者的愤慨,审判发展成为一场关于生活道德问题的激烈辩论。日常生活准则、人与人之间的关系、党的伦理道德等问题成了辩论的中心,审理的案件反而退居次要的地位。法伊洛在法庭上非常放肆,他厚颜无耻地摆出一副笑脸,说什么这个案件人民法院会审理清楚的,柯察金打破他的头,应该判处强制劳动。他一概拒绝回答向他提出的任何问题。说罢,他便扬长而去。

当主席要保尔谈谈冲突经过时,他

讲得很平静,但可以感觉得出来,他是在竭力克制自己。

"这件事所以会发生,是因为我没能控制住自己。最近几年来,这是我仅有一次暴露出游击作风。虽然他挨打是罪有应得,但我谴责自己的这种举动。法伊洛这种人是我们共产党的生活中的一个丑恶现象。我不明白,一个革命者、共产党员,怎么可以同时又是一个下流的畜生和恶棍,我永远也不能同这种现象妥协。"

最后,会议通过决议,把法伊洛开除出党。法伊洛的朋友格里博夫由于提供假证词,受到警告和严厉申斥处分。其余参加那次谈话的人都承认了错误,受到了批评。

卫生处长巴尔捷利克介绍了保尔的神经状况。党的检察员建议给保尔申斥处分,但由于大会的强烈反对,他撤回了这个建议。保尔被宣布无罪。

282

在保尔的再三请求下，专区党委同意把他的组织关系转到乌克兰共青团中央委员会，由那里分配工作。他拿到了一个不坏的鉴定，就动身了。阿基姆是中央委员会书记之一，保尔去见他，把全部情况向他做了汇报。

阿基姆看了鉴定，看到在"对党无限忠诚"后面写着："具有党员应有的毅力，只是在极少的情况下表现暴躁，不能自持，其原因是神经系统受过严重损伤。"

"保夫鲁沙，你别放在心上，神经很健全的人，有时也难免发生这类事情。到南方去吧，恢复恢复精力。等你回来的时候，咱们再研究你的工作。"

说完，阿基姆紧紧地握住了保尔的手。

保尔不久到了中央委员会的"公社战士"疗养院。花园里有玫瑰花坛，银光闪耀的喷水池，爬满葡萄藤的建筑物。

保尔来到海边,眼前是深蓝色的大海,它庄严而宁静,像光滑的大理石一样,伸向目力所不及的远方。保尔深深地呼吸着爽心清肺的海风,眼睛凝视着伟大而安宁的大海,久久不愿移开。

第七章　顽强拼搏

这几天，保尔躲到了疗养院的一个僻静的角落里。他舒适地躺在一把藤摇椅上，海水浴和日光浴使他疲乏了，他打起瞌睡来。一条厚毛巾和一本没有看完的富尔曼诺夫的小说《叛乱》，放在旁边的摇椅上。刚开始几天，他的头痛症状始终没有消失。教授们一直在研究他那复杂而罕见的病情。一次又一次的检查、会诊，使他感到既麻烦又疲劳。保尔的责任医生是个好脾气的女医生，姓耶路撒冷奇克，一个很奇怪的姓。

耶路撒冷奇克总是笑着，用各种办法劝说保尔去检查病情。

此刻离吃午饭还有一个小时。保尔在蒙眬的睡意中听到了脚步声。有人在他身边坐了下来。飘过来的一股清淡的香气，说明坐在旁边的是个女人。保尔睁开眼睛。首先映入他眼帘的是耀眼的白色连衣裙，两条晒得黝黑的腿和两只穿着羊皮便鞋的脚，然后是留着男孩发式的头，两只大眼睛，一排细小的牙齿。她自我介绍叫朵拉·罗德金娜，是哈尔科夫市党委常委。他们愉快地交谈起来，并成为了朋友。

一天午饭后，保尔到海洋疗养院的花园去看歌舞演出，没想到在这里遇见了扎尔基。他和安娜结婚后，已经快有孩子了。扎尔基告诉保尔，杜巴瓦虽然恢复了党籍，但思想仍是那样；潘克拉托夫当了造船厂的副厂长。他们谈到过去的人和事，兴致很高。

这时,朵拉来找保尔,同她一起来的还有几个人。朵拉看了看扎尔基胸前的勋章,问保尔:"你的这位同志是党员吗?他在哪儿工作?"

于是保尔把扎尔基的情况简单地介绍了一下。

"那就让他留下吧。刚才从莫斯科来了几位同志,他们要给我们讲一讲党内最近的一些情况。我们决定在你屋里开个会,算是个内部会议吧。"朵拉解释说。

莫斯科市监委委员巴尔塔绍夫说:"有事实为证,出了新的反对派,新反对派的领袖人物,除了季诺维也夫和加米涅夫外,还有托洛茨基。他们狼狈为奸,相互打气。如今这个各色反对派拼凑起来的大杂烩(huì)联盟开始行动了。"

"一切迹象表明,最近,这个联合的反对派就会向党发动进攻。他们将制造混乱,破坏党的统一。依我看,应该把这些职业的捣乱分子和反对派通通清除出党。"朵拉激烈地说。

老人梅伊兹然接着说："朋友们，我们不能再耽搁，要赶紧回去。在这样的紧要关头，我们必须坚守各自的岗位。"

在保尔房间集会之后的三天时间里，疗养的同志都走光了。保尔也提前出了院。

保尔很快被派到一个工业专区，担任共青团专区委员会书记。

深秋的一天，保尔和两名工作人员乘车到离城很远的一个区去，汽车翻在路边的壕沟里。

车上的人都受了重伤。保尔的右膝盖被压坏了。几天以后，他被送到哈尔科夫外科学院。几个医生会诊后建议立刻动手术。

几分钟以后，保尔的脸蒙上了厚实的面罩，医生对他说："现在就给您施行麻醉。请您深呼吸，数数吧。"

保尔深深地吸了一口气，开始数起数来，并且努力把数字说得清楚些。他怎么也没有想到，他的生活悲剧就这样揭开了第一幕。

不久，阿尔焦姆接到了保尔的来信，他怀着忐忑(tǎn tè)不安的心情，急忙读起来：

阿尔焦姆！你来信说，上了年纪，学习有困难，可是你学得并不坏嘛。让你脱产做市苏维埃主席的工作，你坚决不干，这是不对的。你不是为夺取政权战斗过吗？那你就应该掌握政权。你应该明天就接手市苏维埃的工作，干起来。

我的情况有点儿不妙，经常住院，开过两次刀，流了不少血，体力消耗也很大，而且谁也不肯告诉我，什么时候才算完。

我忍受着种种痛苦，右膝关节不能活动了，身上添了好几个刀口；另外，我的脊梁骨七年前受过伤,医生说,这个伤可能要我付出极高的代价。

我准备忍受一切,只要能重新归队就行。

对我来说,没有比掉队更可怕的事情了。别难过,阿尔焦姆,要我进棺材并不那么容易。哥哥!你要注意身体,不然的话,以后党就要付出很大的代价来帮你恢复。

岁月给我们经验,学习给我们知识,而得到这一切,并不是为了到一个又一个医院去做客。握你的手。

保尔·柯察金

阿尔焦姆读信的时候,保尔正在医院里,责任医生巴扎诺娃建议让她的父亲再为他做一次检查。

保尔立即同意了。当天晚上,巴扎诺娃把保尔领到她父亲宽敞的工作室里。这位著名的外科专家给保尔做了详细的检查。巴扎诺娃从医院拿来了保尔的爱克斯光片和全部化验单。谈话时，她父亲用拉丁语说了很长一段话，她听了之后，脸色顿时变得煞白，这不能不引起保尔的注意。

在巴扎诺娃那间陈设雅致的房间里，巴扎诺娃很为难，因为父亲告诉她，保尔体内的致命炎症正在发展，医学现在还无法控制。教授反对再做任何外科手术，他说："这个年轻人面临着瘫痪的悲剧，我们却没有能力阻止。"

作为保尔的医生和朋友，巴扎诺娃只是用谨慎的措词向他透露了一小部分真情。但保尔那对敏锐的眼睛一直注视着她。

"我已经完全明白了我的病情的严重性。我曾请求过您永远要对我实话实说。我听了不会晕倒，也不会抹脖子。可是我非常想知道，我今后会怎么样。"保尔说。

全日制义务教育学生必读书系·钢铁是怎样炼成的

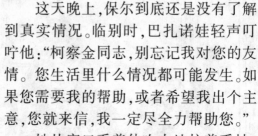

这天晚上，保尔到底还是没有了解到真实情况。临别时，巴扎诺娃轻声叮咛他："柯察金同志，别忘记我对您的友情。您生活里什么情况都可能发生。如果您需要我的帮助，或者希望我出个主意，您就来信，我一定尽全力帮助您。"

她从窗口看着他吃力地拄着手杖，从大门口向一辆出租的轻便马车走去。

保尔又回到叶夫帕托里亚，住进了迈纳克疗养院。值班医生把保尔与一个叫埃勃涅的德国人安排在一个房间。

一到晚上，埃勃涅和保尔的房间便成了俱乐部。所有政治新闻都是从这里传出来的。

到了月底，保尔的病情恶化了。医生不许他下床。埃勃涅感到很难过，因为他很喜欢这个乐观、开朗、从来不灰心丧气的青年布尔什维克。这个年轻人是这样朝气蓬勃，却又这样早地失去了健康。医生们都说保尔的未来是不幸的,埃勃涅听了十分焦急。

保尔向周围的人隐瞒自己的痛苦。出院前一个星期,保尔收到乌克兰团中央的一封信,信中通知他假期延长两个月,并且说,根据疗养院的意见,按他目前的健康状况,不能给他恢复工作。

保尔经受住了这一次打击,就像当年向朱赫来学习拳术时,经受住了朱赫来的打击一样;那时他也常常被打倒,但总是立刻就站起来。

有一天,他意外地收到母亲的一封来信。老人家在信里说,她有个老朋友,叫阿莉比娜·丘察姆,住在离叶夫帕托里亚不远的一个港口,她们已经十五年没有见面了,母亲要儿子一定到她家去看一看。这封意外的来信对保尔的生活产生了重大的影响。

丘察姆一家五口人:母亲阿莉比娜·丘察姆是一个上了年纪的胖妇人,

295

两只黑眼睛郁郁寡欢,衰老的脸上还残留着往日的秀丽;她的两个女儿廖莉娅和达雅,廖莉娅的小男孩,还有那个胖得像猪似的令人厌恶的老头子丘察姆。

丘察姆一家殷勤地接待了保尔,只有老头子用不友好的戒备目光仔细打量了客人一番。

保尔把他所知道的自己家的事,一一讲给阿莉比娜听,顺便也问问她们的生活情况。

廖莉娅二十二岁,是个心地淳朴、开朗大方的女子。她和保尔一见如故,把家中的私事全都主动告诉了他。保尔得知老头子专横,不给人丝毫自由。他心胸狭隘(ài)目光短浅,还好吹毛求疵,一家人都被他管得死死的,整天提心吊胆。因此,儿女们都很厌恶他,妻子对他更是恨之入骨,二十五年来一直反对他的暴虐行为。两个女儿总是站在母亲一边。他们家里不断发生争吵,日子

全日制义务教育学生必读书系·钢铁是怎样炼成的

过得很不愉快。

第二个祸害是他们家的儿子乔治。他傲慢自负,好吹牛,讲究吃穿,喜欢喝酒,是个地地道道的浪荡公子,现在列宁格勒。

达雅满十八岁了,见了生人,很腼腆(miǎn tiǎn)。她长得不算漂亮,可深棕色的大眼睛、蒙古型的细眉毛、端正的鼻子和固执的红嘴唇, 很招人喜欢。带条纹的工装上衣,紧紧箍着她那富有弹性的年轻的胸脯。初次见面,她对保尔很友好。

一次喝茶时,丘察姆又大肆污蔑苏维埃社会主义制度和共产主义理想,实在忍无可忍的保尔反击了:"世界上没有任何力量能够阻止这场变革。至于你们这样的人,愿意也罢,不愿意也罢,都将被强制去为建设新社会而工作。"

丘察姆怀着掩饰不住的仇恨,望了望保尔。

297

"要是不服从呢？你知道，暴力会引起反抗。"

保尔把一只手紧紧压在杯子上。

"那我们就……"保尔抓住杯子，猛一使劲，只听咔嚓一声，薄薄的玻璃碎了，剩茶流进了盘子里。

夜里，保尔想了很久。他已不由自主地卷入到他们的家庭纷争中。他在考虑，怎样才能帮助她们母女改变目前的生活状态。

保尔的到来，对达雅来说是一股清新的劲风，而保尔即将离去，使达雅产生了一种莫名的忧伤。

当只有达雅一个人在家的时候，保尔开门见山地对达雅说出了自己的想法："达尤莎，你们的生活，特别是你的生活，一定要彻底改变一下。你有这样的力量和愿望吗？"

几天之后，保尔去哈尔科夫。达雅、廖莉娅、阿莉比娜都到车站送行。她们像是在送别亲人，达雅两眼噙着泪水，车开出好远了，保尔还能从窗口看到廖莉娅手中挥动的白手帕和达雅穿着的条纹上衣。

到了哈尔科夫，保尔去见阿基姆，要求马上给他分配工作。阿基姆摇头拒绝。但是保尔一再坚持，最后，阿基姆实在没有办法，只好答应了他。

第二天，保尔就到中央委员会书记处机要科上班了。他本以为，只要工作，他的精力就会恢复。但是第一天他就发觉自己估计错了。他全身都不能动弹，而且发烧。到了上班的时候，他常常会突然起不了床。他终于因为经常迟到而受到了警告。这时他才意识到，生活中最可怕的事情开始了——他要被迫离队了。

这时候，他想起了巴扎诺娃临别时的话，于是给她写了一封信。她当天就回信了，他从她那里了解到一个很重要的情况，就是他不一定非住院不可。他知道自己该怎么做了。

体力刚刚有些恢复，保尔又来到中央委员会。这一回，阿基姆怎么也不肯通融了，他斩钉截铁地要求保尔去住院。保尔闷声闷气地回答说："我哪儿也不去。住院没有用，这是权威人士的意见。我的出路只有一条——领抚恤金，退休。但是我绝不走这条路。你们要我脱离工作，这办不到。我才二十四岁，我不能拿着残废证混一辈子，明知没用还到处去求医问药。你们应该给我找一个工作，适合我的身体条件。我可以把工作拿回家做，或者就住在机关里……只是别叫我当个光管登记发文号码的文书就行。我的工作应该能使我内心不感到孤独，不感到脱离了队伍。"

保尔越说越激动："阿基姆，你真的以为生活会把我赶进死胡同，把我压成一片薄饼吗？"他一把抓过阿基姆的手，紧贴在自己的胸膛上。阿基姆清晰地感觉到他的心脏正微弱而急速地跳动着。"只要这颗心还在跳，就没有力量能使我离开党，离开战斗的行列。"

两天以后，阿基姆又介绍保尔去中央机关刊物当编辑。

几天以后，保尔得知自己的文字功底差，当不了编辑。但是，一位女副总编辑鼓励他说，只要努力，他可以成为文字工作者。

从那天起，保尔的健康每况愈下，恢复工作是根本谈不上了。保尔越来越多的日子是在病床上度过的。

中央委员会解除了保尔的工作，他拿到了抚恤金，还领到一张残废证。中央委员会又发给他一笔钱，个人档案也交他随身携带，他可以到任何他想去的地方。

保尔整天一个人待在好友玛尔塔的屋子里，如饥似渴地读着书，一本接一本——玛尔塔有很多藏书。不知不觉，十九天过去了。

达雅她们来了几封信。她们盼望着他的帮助。

一天早晨，保尔离开了那座宁静的寓所。列车载着他奔向克里木南部温暖的海岸。他看着列车窗外的景色，双眉紧锁，眼睛里闪现出顽强的毅力。

第八章　新的生活

海浪在他脚下拍打着岸边的乱石，从遥远的土耳其吹来的干燥的海风，吹拂着他的脸。海岸曲折地弯进陆地，形成一个港湾，港口有一条钢筋水泥的防波堤。蜿蜒(wān yán)起伏的山峦(luán)伸到海边，又突然中断了。市郊的一座座小白房像玩具似的，顺着山势向上，伸展到很远的地方。

古老的郊区公园里静悄悄的。很久没有人收拾的小径长满了野草，被秋风吹落的枯黄的槭(qì)树叶，慢慢地飘向

303

地面。

一个波斯老车夫把保尔从城里拉到这里。老车夫扶着保尔下车的时候，忍不住问道："你到这儿来干吗？没姑娘，也没戏院，只有胡狼……真不明白，你来干什么？还是坐我的车回去吧。"

今天，保尔特意到这僻静的地方来，是为了回顾他的生活历程，考虑今后该怎么办的。保尔想，应该是进行总结，做出决定的时候了。

由于这次保尔的到来，终于激化了丘察姆家的矛盾。

老头子听说保尔来了，气得暴跳如雷，在家里大吵大闹了一场。母女三人进行了反抗。从保尔来到的那天起，这一家人就分开过了，通向两个老人房间的过道被钉死了。保尔租了他们家的一间小厢房。

在开始的日子里，保尔看书时，常常会陷入沉思。他的一生，一幕幕在他眼前闪过。这二十四年里过得怎样？他像是一个铁面无私的法官，检查着自己的一生。他感到，这一生过得还不怎么坏。

他承认自己犯过不少错误，有时是因为糊涂，有时是因为年轻，多半则是由于无知。但是，在火热的斗争年代，他没有睡大觉，在夺取政权的激烈搏斗中，他找到了自己的岗位，在革命的红旗上，也有他的几滴鲜血。

可现在，他的身体垮了，今后该怎样对待自己呢？巴扎诺娃终于吐露了真言，她告诉他，前面还有更可怕的不幸等待着他。怎么办？

他已经失去了最宝贵的东西——战斗的能力，活着还有什么用呢？他用什么来证明自己生存的价值呢？有什么能充实自己的生活呢？

他拔出手枪，想一死了之。但他又责备自己这种懦(nuò)夫行为，他认为

305

即使无法忍受，也要善于生活下去，要竭尽全力，使生命变得有益于人民。

这天晚上，他去参加党组织会议。他怎么也没想到，这竟是他最后一次在大会上讲话。

达雅因为惦记着深夜未归的保尔，一直没有睡，在自己的房间里等他。今天，她发觉保尔那双一向活泼的眼睛，显得严峻而冷漠。他很少讲到自己，但是达雅感觉到，他正在遭受某种不幸。

保尔回来时，已是凌晨。他们来到达雅的房间，保尔觉得应该对达雅讲述一下自己的心情和想法。他说："你们家的这场纷争远远不会完，你得离开这里，离得越远越好。你应该呼吸新鲜空气，应该开始新的生活。我既然卷入了这场纷争，就要把它进行到底。我决心放一把火，让它烧起来。你明白这是什么意思吗？你愿意做我的朋友，做我的妻子吗？"

306

达雅一直十分激动地听着他的倾诉,听到最后一句话,她感到很意外,不由得打了一个寒战。保尔接着说:"达雅,我并不要求你今天就答复我。你好好地想一想。我已经想好了:咱们的结合一直延续到你成长为一个真正的人,成为我们的同志。我一定能帮助你做到的,要不然,我就一点儿价值也没有了。一旦你成熟了,你可以不受任何义务的约束。谁知道,也许有一天我会完全瘫痪。你记住,到那时候我也绝不拖累你。"

　　稍停片刻,他又亲切而温情地说:"现在我就请你接受我的友谊和爱情。"

　　他握住她的手不放,心情很平静,好像她已经答应了他似的。

　　"我今天什么都不能对你说,这一切来得太突然了。"达雅回答说。

　　保尔回到自己的房间,和衣躺在床上,头刚挨着枕头,就睡着了。

307

不久，他陆续借来大批书籍，从清早到晚上，每天埋头读书，做笔记，只在吃饭的时候才休息一会儿。每天晚上，他们三个人就在廖莉娅房间里谈天，保尔把读到的东西讲给姐妹俩听。

八年来，保尔第一次有这么多的空闲时间。他如饥似渴地读着书，每天读十八个小时。如果长期下去，保尔的健康一定会受到很大的伤害。但是，谁也无法阻止他。有一天，达雅像是很随便地对他说："我把柜子搬开了，通往你房间的门已经可以打开。你有什么事要找我，可以走这个门，不用再穿过廖莉娅的房间了。"保尔的脸上露出了光彩。达雅高兴地浅浅一笑——他们幸福地结合在一起了。

从此，老头子半夜里再也看不到厢房的窗户透出灯光。母亲开始发现达雅的眼神里有掩饰不住的欢乐，她的两只眼睛被内心的火烧得亮晶晶的。这座不大的住宅里,经常可以听到吉他声和达雅的歌声。

获得了欢乐的达雅也常常感到苦恼,她觉得自己的爱情好像是偷来的。只要有一点儿响动,她就会哆嗦一下。保尔看出了她的担忧,温柔地安慰她说:"你我就是这里的主人。放心睡吧,谁也没有权力干涉咱们的生活。"

达雅的脸贴着爱人的胸脯,搂着他,安心地睡着了。保尔久久地听着她的呼吸,一动也不动,生怕惊醒她的甜梦。他对这个把一生托付给他的少女,充满了深切的柔情。

青年们开始来找保尔。他们常常齐声歌唱。

这是工人党员积极分子小组在集会,党委把这个小组交给了保尔。

保尔的双手重新把住了舵轮,他的目标是通过学习,通过文学,重返战斗行列。

不久，廖莉娅在邻区找到了工作，带着母亲和儿子搬走了。保尔和达雅也搬到很远的一个滨海小城去了。

半年多来，阿尔焦姆很少收到弟弟的信。这一天，保尔终于又来信了。在信上，他告诉哥哥：

我的左臂已经不听使唤了，接着两条腿也不能活动了。现在从床边挪到桌子跟前也要费很大劲。但也许还有更糟糕的事在等着我。明天会怎么样——一切都无法预料。

我已经出不了家门了，只能从窗口看到大海的一角。一个人有一颗布尔什维克的心，有布尔什维克的意志，可是他的躯体却背叛了他，不听他的调遣。还有比这更可怕和痛苦的吗？

不过我还是相信我能够重返战斗行列，十年来，党和共青团给了我克服困难的勇气和力量。没有布尔什维克攻

全日制义务教育学生必读书系 · 钢铁是怎样炼成的

不克的堡垒，这句话对我很适用。

我的生活已形成了一个格局，那就是我的学习——读书，读书，还是读书。我已经读了很多书，收获颇丰。国外的、国内的著作我都读。我读完了主要的古典文学作品，学完了共产主义函授大学一年级课程，考试也及格了。晚上我辅导一个青年党员小组学习。此外，还有我的达尤莎，她的成长和她的进步，当然还有她的爱情和她那妻子的温存、体贴。

我俩生活得很和美。我们的经济情况是一目了然的——我的三十二个卢布抚恤金和达雅的工资。她正沿着我走过的道路走到党的行列里来。

前几天，达雅拿回来第一次当选为妇女部代表的证件，兴高采烈地给我看。对她来说，这不是一张普通的硬纸片。我注意地观察着她，看到一个新人在逐步成长，我尽自己的全部力量帮助她。总有一天,她会成熟的。

保尔又一次住进了当地的疗养院,在那里他遇到了一批坚强的布尔什维克,他们都不同程度地得了重病。切尔诺科佐夫得了坏疽(jū)病,潘科夫一条腿不听使唤,日吉廖娃也因病来疗养。他们和保尔成了好朋友。从他们身上,保尔获得了与疾病抗争的勇气和力量。直到保尔病重的最后几年,他们一直是他的有力支柱。

新的不幸终于来到了,保尔的双腿瘫痪了,只有右手还能活动。他做了许多努力,都没有效果。他知道再也不能行动了,这时候,他把嘴唇都咬出了血。达雅勇敢地掩饰着她的绝望和由于无力帮助他而产生的痛苦。

他抱歉地微笑着说:"达尤莎,咱们离婚吧。反正也没约定……"

达雅不让他说下去。她忍不住放声

313

全日制义务教育学生必读书系·钢铁是怎样炼成的

痛哭起来。她哽咽着，把保尔的头紧紧搂在怀里。

阿尔焦姆知道弟弟遭到新的不幸，写信告诉了母亲，玛丽亚·雅科夫列夫娜扔下一切，立刻到儿子这里来了。老太太、保尔和达雅住在一起，婆媳俩相处得很和睦。保尔继续在学习。

一个阴湿的冬天的晚上，达雅告诉保尔，她当选为市苏维埃委员了。从那天起，保尔就很少见到她。下班以后，达雅经常从她工作的那个疗养院食堂，径直到妇女部或苏维埃去，深夜才回到家里。吸收她为预备党员的日子临近了，她怀着十分激动的心情迎接这一天的到来。可是，偏偏在这个时候，新的不幸又突然袭来。保尔的右眼发炎，疼得难以忍受，接着左眼也被感染了。保尔有生以来第一次尝到了失明的滋味。

母亲和达雅悲痛到了极点，他本人却很冷静，暗暗下定了决心："应该再等一等。要真不行，那就应该了结了。"

保尔的朋友们纷纷来信鼓励他坚强起来，继续斗争下去。

在他最痛苦的日子里，达雅激动地告诉他，她已经是预备党员了。

得知保尔的困难，区委书记派人给保尔安装了天线，配置了收音机。小小的收音机，可以收听到世界上六十个电台的播音。疾病割断了保尔同生活的联系，现在生活穿过耳机的膜片冲进来，使他又重新摸到了生活的强有力的脉搏。

达雅工作很忙也很累，保尔很少见到她。他知道，随着达雅的成长，她照顾他的时间会越来越少，他认为这是理所当然的。保尔接受了辅导一个小组的任务。晚上，保尔同青年人在一起度过几个小时，就会获得新的活力。其余的时间他都在听广播，听觉补偿了被失明夺去的东西，无线电带给他新的力量——他又可以学习了。

他以顽强的意志继续学习,忘记了一直在发烧的身体,忘记了肉体的剧烈疼痛,忘记了两眼火烧火燎的炎肿,忘记了严峻无情的生活。

在与病魔的斗争中,保尔通过无线电了解到祖国建设日新月异的成就,感受到青年团员为建设而斗争的场景。更令人惊喜的是,他听到了他熟悉的名字——潘克拉托夫成了抢险英雄。

第九章　百炼成钢

又是一年过去了。保尔和达雅来到莫斯科。保尔住进了一所专科医院。

此刻保尔才明白,当一个人身体健康、充满青春活力的时候,坚强是比较简单和容易做到的事;只有生活像铁环那样把你紧紧箍住的时候,坚强才是光荣的业绩。

到了莫斯科后的十八个月里,他遭受的痛苦是难以形容的。

在医院里,阿韦尔巴赫教授坦率地告诉保尔,恢复视力是不可能的。如果将来有一天炎症能够消失，可以试着给他做瞳孔手术。他建议保尔目前先进行外科手术治疗，消除炎症。

当保尔躺在手术台上，手术刀割开颈部，切除一侧甲状腺(xiàn)的时候，死神曾经三次降临到他身上。然而，保尔的生命力十分顽强。达雅一直提心吊胆地守候在手术室外，手术过后，她看见丈夫虽然像死人一样惨白，但是仍然很有生气，并且像平常一样，温柔而安详。

"你放心好了，小姑娘，要我进棺材不那么容易。我要活下去，而且还要大干一场，偏要跟那些医学权威的结论捣捣乱。"保尔劝慰着悲伤的达雅。

保尔坚定地选择了一条道路，决心通过这条道路重返新生活建设者的行列。

春天又一次来临。失血过多的保尔挺过了最后一次手术。他拒绝了医生再做一次手术的建议。

当天，保尔给中央委员会写信，请中央委员会帮助他在莫斯科安下家来，因为他的妻子就在这里工作。他希望安定下来以后，为党做些有用的工作。这是他生平第一次向党请求帮助。

莫斯科市苏维埃拨给他一个房间。那房间在克鲁泡特金大街一条僻静的胡同里，很简陋，但是在保尔看来，这已经是最高的享受了。夜间醒来的时候，他常常不能相信，自己已经离开医院，而且离得远远的了。

达雅已成为一名正式党员。她勤奋地工作着，尽管个人生活中有那么多的不幸，但她并没有落在其他突击手的后面。群众对这个沉默寡言的女工表示了很大的信任，选举她当了厂委会的委员。保尔为妻子的进步而感到高兴，这大大减轻了他的痛苦。

有一次，巴扎诺娃到莫斯科出差，

319

前来探望保尔，他们谈了很久。保尔热情洋溢地告诉她，他选择了一条道路，不久的将来就可以重新回到战斗的行列之中。

巴扎诺娃注意到保尔两鬓已经出现了白发，她低声对他说："我看得出，您是经受了那么多的痛苦，仍然没有失去那永不熄灭的热情。还有什么比这更可贵呢？您做了五年准备，现在您决定动笔了，这很好。不过，您怎么写呢？"

保尔笑了笑，说："明天他们给我送一块有格的板子来，我琢磨了好长时间，才想出这么个办法——在硬纸板上刻出一条条空格，写的时候，铅笔就不会出格了。看不见所写的东西，写起来当然挺困难，但并不是不可能。"

保尔开始写一部中篇小说，是描写科托夫斯基英勇的骑兵师的故事，书名不用考虑就出来了：《暴风雨的儿女》。

从那天起，保尔把全部精力投入到

这本书的创作之中。他缓慢地写了一行又一行，写了一页又一页。他忘记了一切，完全被自己笔下的人物形象迷住了。但是，他也尝到了创作的艰难和痛苦，那些鲜明、难忘的情景清晰地浮现在眼前，他却找不到恰当的词语来表达，写出的东西苍白无力，缺少火一般的激情。

保尔全凭记忆来写作。已经写好的东西，他必须逐字逐句地记住，否则，线索一断，工作就会停顿。母亲惴惴不安地注视着儿子的工作。她不敢走近他，只有乘着替他把落在地上的手稿捡起来的时候，才轻轻地说："你干点儿别的不好吗，保夫鲁沙？哪有你这样的，写起来就没完没了……"

对母亲的担心，他总是会心地笑一笑，并且告诉老人家，他还没有到完全"发疯"的程度。

小说写完了三章后，保尔把它寄给

在敖德萨的科托夫斯基师的老战友们看，征求他们的意见。他很快就收到了回信，大家都称赞他的小说写得好。但是原稿在寄回来的途中被邮局丢失了。六个月的心血白费了。这对保尔是一个极大的打击。他非常懊悔没有复制一份。他把原稿丢失的事告诉了好友列杰尼奥夫。

"你怎么这么粗心大意呢？别生气了，重新开始吧。"

一切不得不重新开始。列杰尼奥夫给他弄来一些纸，帮助他把写好的稿子用打字机打出来。一个半月之后，第一章又脱稿了。

跟保尔住一套房间的是一家姓阿列克谢耶夫的。他家的大儿子亚历山大是本市一个区的团委书记。亚历山大有一个十八岁的妹妹，叫加莉亚，是个朝气蓬勃的姑娘，已经在工厂的工人学校毕业了。保尔让母亲跟她商量，看她是不是愿意帮助他，做他的"秘书"。加莉亚非常高兴地答应了。

从这天起，保尔写作的速度加快了。一个月里，他竟然写了那么多，连他自己也感到惊讶。加莉亚深切地同情保尔，积极主动地帮助他工作。她的铅笔在纸上沙沙地响着，遇到特别喜爱的地方，她总要反复念上几遍，并且感到由衷的高兴。在这所房子里，几乎只有她一个人相信保尔的工作是有意义的。

因公外出的列杰尼奥夫回到了莫斯科，他读了小说的头几章以后，说："写得太棒了！坚持干下去，朋友！胜利一定属于你。我坚信，你归队的理想很快就能实现。不要失去信心，孩子。"

加莉亚的铅笔在纸上沙沙地响着，一行一行的字句，追述着难忘的往事。每当保尔凝神深思，沉浸在回忆中的时候，加莉亚就看到他的睫毛在颤动，他的眼神随着思路的转换在不断地变化，简直令人难以相信他的双目已经失明，那对清澈无瑕(xiá)的眼睛依旧是那么有生气。

一天的工作结束了，加莉亚把记下来的东西念给保尔听，她发现保尔全神贯注地倾听着，时而皱起眉头。他认为写得不成功的地方，就亲自动手重写。有时候他实在忍受不了格子板的狭窄框框的束缚，就扔下不写了。他恨透了这夺去他视力的生活，盛怒之下他常常把铅笔折断，把嘴唇咬得出血。

忧伤，以及一般人的各种各样的感情，几乎人人都可以自由抒发。惟独保尔没有这个权利，它们被永不松懈的意志禁锢(gù)着。

最后一章终于写成了。加莉亚花了几天时间为保尔通读了一遍。

明天就要把书稿寄到列宁格勒，请州委文化宣传部审阅。如果他们同意给这部小说开"出生证"，就会把它送交出版社,那么一来……

想到这里,保尔的心激动地跳动起来。那么一来……新的生活就要开始了,这是多年来紧张而顽强的劳动换来的啊!书的命运决定着保尔的命运。如果书稿被彻底否定,那他的日子就到头了。如果失败是局部的,通过进一步加工还可以挽救的话,那他一定会发起新的冲击。

母亲把沉甸甸的书稿送到邮局。紧张的等待开始了。保尔一生中还从来没有像现在这样痛苦而焦急地等待过来信。他从早盼到晚,但列宁格勒一直没有回音。

一天天的等待,失败的预感就一天比一天强烈。保尔意识到,一旦小说遭到无条件的拒绝,他就只有死亡。那时,他就没法再活下去了,而且活下去也没有意义了。

此时此刻,他一次次地问自己:"为

了冲破铁环,重返战斗行列,使你的生命变得有益于人民,你尽一切努力了吗?"

每次的回答都是:"是的,看来是尽了一切努力了。"

好多天过去了,正当期待已经变得无法忍受的时候,同儿子一样焦虑的母亲一面往屋里跑,一面激动地喊道:"列宁格勒来信了!"

这是州委打来的电报。电报上只有简单几个字:"小说备受赞赏,即将出版,祝贺成功。"

保尔的心欢畅地跳动起来。多年的愿望终于实现了!铁环已经被砸碎,现在保尔又拿起新的武器,重新回到了战斗的行列,开始了崭新的生活。